HISTORIAS DE PROF

para los niños

Historias De Profetas

Serie de Conocimientos Islámicos para niños

Editoriales De Libros Islámicos

Published by Editoriales De Libros Islámicos, 2021.

HISTORIAS DE PROFETAS

First edition. July 3, 2021.

Copyright © 2021 Editoriales De Libros Islámicos.

ISBN: 979-8201984717

Written by Editoriales De Libros Islámicos.

Tabla de Contenido

Profeta Adán

(La paz sea con él)

Desde Los Cielos Hasta La Tierra

Hace mucho tiempo, Alá$^{(S.W.T)}$ creó este Universo. Este Universo fue hecho con numerosos cuerpos celestes y siete cielos. Entre ellos, Alá creó muchas especies y seres. En esa época, la Tierra estaba dominada por los Jinns, y los cielos estaban llenos de ángeles obedientes. Pero a pesar de estas innumerables criaturas, Alá decidió hacer un ser vivo especial. Un ser que superará en conocimiento a todas las demás criaturas.

Así que pidió a sus ángeles que recogieran arcilla de la Tierra. Los obedientes ángeles recolectaron arcilla y Alá hizo una figura humana con ella y le puso el nombre de Adán$^{(A.S)}$.

Pero la figura no se movió durante cuarenta largos años. Simplemente se quedó quieta allí. Cuando Iblees, que era como un maestro de los ángeles en ese momento, vio esta figura, estaba confundido y asustado.

Después de cuarenta años, Alá$^{(S.W.T)}$ insufló su espíritu en Adán$^{(A.S)}$. Cuando el espíritu llegó a la cabeza de la figura. Estornudó. Cuando el espíritu llegó a sus ojos, vio toda la asombrosa comida que había alrededor. Entonces el espíritu llegó a su estómago y Adán$^{(A.S)}$ sintió hambre. El Profeta había visto las frutas que había alrededor, así que antes de que el espíritu pudiera siquiera alcanzar sus piernas, saltó hacia la fruta. Adán$^{(A.S)}$ bajó porque no podía mover las piernas. Alá le dio a Adán$^{(A.S)}$ un vasto conocimiento de las cosas. Alá le enseñó a Adán los nombres de todos los animales del Paraíso. El León, la oveja, el camello, el elefante, el perro, el pavo real y muchos más.

Entonces Alá$^{(S.W.T)}$ pidió a todos los ángeles, incluyendo a Iblees, que se postraran ante Adán$^{(A.S)}$ como señal de respeto. Uno por uno, todos los Ángeles se postraron ante el Profeta excepto Iblees.

Iblees dijo que era mejor y superior al Profeta y que estaba hecho de fuego. No entendía la voluntad de Alá y se negó a obedecer el mandato de Alá.

Alá$^{(S.W.T)}$ se enfadó con esta desobediencia. Así que desterró a Iblees del paraíso. Desde ese día, Iblees fue llamado "el Satán/Shaitaan" y fue arrojado al infierno. Ahora era un paria. Shaitaan estaba furioso con los humanos, ya que fue desterrado del paraíso por ellos. Juró vengarse engañando a los humanos en el camino de Alá.

Alá$^{(S.W.T)}$ le dijo al Profeta Adán$^{(A.S)}$ que se le permitía comer todas las frutas del jardín excepto una. Alá le dijo al Profeta que no debía comer la fruta del árbol del conocimiento, ya que estaba prohibido. Pasó la mayor parte de su tiempo jugando con los animales en el Paraíso. Después de unos años, el Profeta se sintió solo, ya que no había otros humanos en el Paraíso. Alá$^{(S.W.T)}$ vio esto y decidió darle a Adán$^{(A.S)}$ una esposa.

Una noche, cuando el Profeta estaba durmiendo, Dios creó a la primera mujer, Hawwa (Eva). Cuando el Profeta se despertó, estaba feliz de ver a la mujer. Su soledad se fue inmediatamente.

Adán$^{(A.S)}$ preguntó, "¿quién eres?"

"Alá me creó, para que puedas encontrar tu paz y tranquilidad conmigo", respondió.

Alá$^{(S.W.T)}$ les dijo: "Coman de este paraíso, todo lo que deseen". Ambos vivieron felices en el Paraíso durante cuarenta años. Pero Alá les advirtió que no se acercaran a ese "Árbol Prohibido".

Habían pasado muchos años. Así que Shaitaan sabía que el Profeta debía haber olvidado las palabras de Alá. Shaitaan todavía estaba enojado con los humanos. Entró en Jannah y los engañó para que comieran de ese árbol jurando falsamente por Alá. Shaitaan dijo que si comían de ese árbol, se convertirían en ángeles. Se convertirán en inmortales. Piensen en ello.

Adán$^{(A.S)}$ nunca escuchó a nadie mentir en su vida, así que ambos cayeron en la trampa. El Profeta y su esposa sin saberlo arrancaron la fruta y empezaron a comerla. Pero incluso antes de que pudieran terminar de comer la fruta, sabían que habían cometido un grave pecado. Ahora están llenos de dolor, tristeza y vergüenza. Se dieron cuenta de que estaban desnudos. Porque corrieron a cubrirse con hojas. Ahora estaban realmente asustados ya que sabían que Alá los castigaría por su desobediencia.

Alá$^{(S.W.T)}$ dijo: "¿No te advertí que no comieras de este árbol? Que el Shaitaan es tu enemigo abierto."

Dijeron: "¡Oh, Señor! Nos hemos perjudicado a nosotros mismos. Y si no tienes piedad de nosotros, si no nos perdonas, entonces seremos de los perdedores."

Se dieron cuenta de su error, pero era demasiado tarde. Y ahora tenían que soportar, lo que les sucederá. Así que, fueron enviados a la Tierra. Bajaron a la Tierra en lugares separados. Y así, comenzaron la búsqueda de uno y otro. Se conocieron, se encontraron en la montaña de Arafat. Allí renovaron sus vidas en la Tierra. Finalmente se establecieron cerca de un río.

El profeta sabía que la vida en la Tierra sería muy difícil. Tenía que hacer una casa para que ellos vivieran. Tuvo que trabajar duro para alimentar a su familia. Ahora ya no tenían los placeres que disfrutaban en el Paraíso.

Después de unos años, Hawwa dio a luz a gemelos, un niño y una niña. Llamaron al niño "Qabil". Qabil no era muy guapo, mientras que la hermana gemela de Qabil era hermosa. Más tarde, Hawwa dio a luz a otro gemelo; otra vez, un niño y una niña. Esta vez, llamaron al niño "Habil". Habil era un poco más guapo pero su hermana gemela no era tan atractiva.

Tanto Habil como Qabil crecieron. Qabil se dedicó a la agricultura, trabajando en el campo y cultivando. Cuando Habil creció, se convirtió en pastor y cuidó de las ovejas. Cuando Habil y Qabil crecieron y se convirtieron en adultos, el Profeta Adán$^{(A.S)}$ decidió casarlos. Como no había otras mujeres en la Tierra, el Profeta decidió casar a Qabil con la hermana gemela de Habil y a Habil con la hermana gemela de Qabil.

Qabil no estaba feliz porque la hermana de Habil no era tan hermosa. Él quería casarse con su propia hermana. Hubo una discusión, así que el Profeta Adán$^{(A.S)}$ los reunió y resolvió el asunto ofreciendo un sacrificio a Alá$^{(S.W.T)}$. Se decidió que aquel cuyo sacrificio fuera aceptado, se casaría con la hermana de Qabil.

Habil recogió las mejores ovejas de su rebaño y las ofreció como sacrificio a Alá$^{(S.W.T)}$. Pero Qabil no quería ofrecer la mejor fruta y verdura como sacrificio. En su lugar, eligió los vegetales y granos malos para el sacrificio. Alá$^{(S.W.T)}$ aceptó el sacrificio de Habil pero rechazó el de Qabil. El Profeta Adán$^{(A.S)}$ estaba presente cuando hicieron sus sacrificios y se decidió que Habil se casaría con la hermana de Qabil. Qabil no estaba nada contento. Estaba tan enojado que quería matar a Habil.

Un día Habil llegó tarde a casa y el Profeta le pidió a Qabil que lo buscara. Qabil fue a buscar a Habil a los campos. Al final, encontró a Habil caminando hacia su casa. Qabil seguía enojado con Habil.

"Su oferta fue aceptada pero la mía no. " dicho por Qabil.

Habil respondió: "Alá$^{(S.W.T)}$ sólo acepta de aquellos que le temen. "

Qabil se enojó al escuchar esto, y tomó una piedra para golpear a Habil. Habil vio esto y aunque era más grande y fuerte que Qabil, la piedad de Habil hacia Alá$^{(S.W.T)}$ lo detuvo. Dijo: "Aunque estires tu mano para matarme, nunca lo haré para dañarte porque temo a Alá". "

Este comentario enfureció aún más a Qabil, y lo golpeó con la piedra matándolo instantáneamente. Cuando Qabil se dio cuenta de que Habil estaba muerto, se aterrorizó y no supo qué hacer. No quería que su padre supiera lo que había hecho. Así que empezó a pensar en formas de ocultar su pecado. Qabil vagaba de un lugar a otro con el cadáver de Habil, tratando de ocultarlo. Fue entonces cuando vio a dos cuervos peleando entre sí. Durante la pelea, un cuervo mató al otro y el muerto cayó al suelo.

El cuervo victorioso arañó y cavó un agujero en el suelo. Enterró al cuervo muerto en el agujero. Luego llenó el agujero con barro. Esto le dio la idea a Qabil, y como los cuervos, cavó un agujero en la tierra y enterró el cuerpo de su hermano en él.

Este fue el primer entierro de un hombre. Qabil estaba avergonzado de lo que había hecho. Se arrepintió, pero no se arrepintió. No le pidió perdón a Alá$^{(S.W.T)}$. Shaitaan se había ganado su confianza y sabía que ya no podía volver con su familia.

La noticia llegó a su madre, Hawwa primero. Luego empezó a llorar. El profeta Adán$^{(A.S)}$ sabía lo que había pasado, y lloró por la pérdida de su hijo. Había perdido a sus dos hijos; uno estaba muerto, y Shaitaan engañó al otro. Advirtió a sus otros hijos sobre shaitaan y les pidió que siempre obedecieran las órdenes de Alá$^{(S.W.T)}$.

El Profeta Adán$^{(A.S)}$ había envejecido y sus hijos lo amaban mucho. Cuando el Profeta Adán$^{(A.S)}$ se dio cuenta de que su muerte estaba cerca, nombró a Seth$^{(A.S)}$ como sucesor de su familia.

Le dijo a sus hijos: "Hijos míos, siento un apetito por los frutos del paraíso".

Así que se fueron en busca de lo que Adán$^{(A.S)}$ había pedido. Se encontraron con los ángeles, que tenían con ellos su manta y con lo que iba a ser embalsamado.

Los ángeles les dijeron: "Hijos de Adán, ¿qué buscáis? ¿Qué es lo que quieren? ¿Adónde vais?"

Dijeron: "Nuestro padre está enfermo y tiene apetito por los frutos del Paraíso".

Los ángeles les dijeron: "Vuelve, porque tu padre va a encontrar su fin pronto."

Entonces, regresaron con los ángeles. Cuando Hawwa los vio, los reconoció. Trató de esconderse detrás de Adán.

"Déjeme en paz. He venido antes que tú; no te interpongas entre yo y los ángeles de mi Señor." Él dijo.

Entonces, el Ángel de la Muerte estaba a su lado. Reunió a sus hijos en su lecho de muerte y les recordó diciendo,

"Alá$^{(S.W.T)}$ te enviará Mensajeros. No te dejará en paz. Los profetas tendrían diferentes nombres, rasgos y milagros, pero estarían unidos en una sola cosa, su mensaje será uno solo; el llamado a adorar a Alá solo; el que te hizo. Y para mantenerse alejado del Shaitaan. El mayor pecado que uno puede cometer es asociar un compañero con el creador."

Después de recordárselo a sus hijos, el Ángel de la Muerte se llevó su alma. Murió en paz. Estaba feliz de irse porque sabía que iba a volver a Alá$^{(S.W.T)}$. Como dijo el Profeta Muhammad$^{(S.A.W.W)}$, "El regalo de un verdadero creyente es la muerte".

Sus hijos lo embalsamaron y lo envolvieron, cavaron la tumba y lo pusieron en ella. Rezaron por él y lo pusieron en su tumba, diciendo:

"Hijos de Adán, esta es vuestra tradición en el momento de la muerte."

Profeta Nuh

(La paz sea con él)

Cuando Las Inundaciones Ahogaron A Toda La Humanidad En La Tierra

Alá(S.W.T) envió al Profeta Nuh (Noé)(A.S) a la Tierra, mil años después de enviar al Profeta Adam(A.S). Para entonces, la población de la Tierra había aumentado muchas veces y para entonces el malvado 'Shaitaan' había jugado sus sucias bromas a la humanidad e hizo que la gente empezara a adorar ídolos. Fue durante esta época que Alá(S.W.T) envió otro Profeta a la Tierra.

El Profeta Nuh(A.S) guió a la gente a la adoración de un solo Dios, Alá(S.W.T), pero no sería un trabajo fácil para el Profeta. Nuh(A.S) era un excelente orador y un hombre muy paciente. Señaló a su pueblo los misterios de la vida y las maravillas del universo. Señaló cómo la noche es seguida regularmente por el día y que el equilibrio entre estos opuestos fue diseñado por Alá el Todopoderoso para nuestro bien. La noche da frescura y descanso mientras que el día da calor y despierta la actividad. El sol fomenta el crecimiento, manteniendo vivas todas las plantas y animales, mientras que la luna y las estrellas ayudan a calcular el tiempo, la dirección y las estaciones. Señaló que la propiedad de los cielos y la tierra pertenece sólo al Divino Creador.

Por lo tanto, explicó a este pueblo, no puede haber más de una deidad. Les aclaró cómo el diablo les había engañado durante tanto tiempo y que había llegado el momento de poner fin a este engaño. Nuh(A.S) les habló de la glorificación de Alá del hombre, de cómo Él lo había creado y le había dado el sustento y las bendiciones de una mente. Les dijo que la adoración de ídolos era una injusticia sofocante para la mente. Les advirtió que no adoraran a nadie más que a Alá y describió el terrible castigo que Alá les impondría si continuaban con sus malos caminos.

"¡Temed a Alá y haced lo que Alá dice!" gritó el Profeta a todos.

Pero la gente no quería escuchar. Sacudieron sus cabezas y continuaron adorando a los ídolos. El Profeta era un excelente orador, y también era muy paciente.

"¿No entiendes que fue Alá quien creó este mundo entero?" gritó el Profeta. "Fue Alá quien creó el Sol, la Luna y las estrellas que se ven en el cielo. Creó los ríos, las montañas, los árboles y todo lo que ves a tu alrededor. Hizo todo esto por ti, y sólo por ti. ¿Entonces por qué no le muestras ningún respeto? ¿Por qué estás adorando a estos ídolos?"

Pero la gente le dio la espalda diciendo,

"¡Huh! ¿Quién eres tú para aconsejarnos? Eres un hombre más. Y creemos que estás mintiendo. ¡Vete y déjanos en paz!"

Pero también había buenos musulmanes en la Tierra, pero la mayoría de ellos eran débiles y pobres. Escucharon las palabras del Profeta y se dieron cuenta de que estaban cometiendo un pecado al adorar a los ídolos.

Ahora, había dos grupos diferentes de personas en la Tierra; uno que adoraba a Alá(S.W.T) y los otros que continuaban adorando ídolos.

Nuh$^{(A.S)}$ continuó predicando al pueblo durante muchos años. Los adoradores de ídolos pronto se agotaron por la predicación del Profeta.

"Has estado predicando mentiras durante mucho tiempo". Dijeron: "Te apedrearemos si no te detienes".

Pero el Profeta los ignoró y continuó llamando al pueblo incansablemente hacia Alá. Les predicó durante el día y la noche. En muchas ocasiones, los adoradores de ídolos lo apedrearon mientras predicaban a la multitud. Incluso lo golpeaban con los palos.

"¡No eres diferente a nosotros!" gritaron los adoradores de ídolos. "No eres un Profeta. Sólo eres otro hombre. ¿Y por qué deberíamos escucharte?"

"Les digo la verdad", les dijo el Profeta. "Estáis cometiendo un pecado al adorar a los ídolos".

"¡Temo por ti! Alá te castigará algún día!" les gritó el Profeta.

Pero la gente no tenía vergüenza. Dijeron: "Es un tonto, no lo escuchen".

Todo este dolor no permitió que el Profeta Nuh$^{(A.S)}$ dejara de llamar al pueblo. Continuó predicándoles durante novecientos cincuenta años. Los incrédulos siguieron burlándose del Profeta y para entonces, habían llevado las cosas demasiado lejos. Nuh$^{(A.S)}$ estaba decepcionado, mientras que el número de incrédulos seguía creciendo y creciendo. Una noche, cuando el Profeta ofrecía a sus jugadores, Alá$^{(S.W.T)}$ le habló.

"No estés triste, Nuh."

"Has hecho lo que se te pidió. Voy a castigar a toda la gente de la Tierra por sus malas acciones. Todos en la Tierra morirán excepto los creyentes y los animales", dijo Alá$^{(S.W.T)}$.

Como primer paso, Dios le pidió al Profeta que plantara varios árboles. Nuh$^{(A.S)}$ no entendió la razón de esto pero escuchó a Alá y empezó a plantar árboles como se le dijo. También pidió a los creyentes que le escucharan y que hicieran lo mismo. Hicieron esto durante más de cien años.

Después de muchos años, Alá$^{(S.W.T)}$ ordenó al Profeta de nuevo. Esta vez, le pidió al Profeta que empezara a construir un barco. Tiene que ser una nave gigantesca que pueda albergar un par de cada animal de la Tierra.

El Profeta estaba confundido porque no sabía cómo construir un barco porque nadie había hecho un barco antes. A pesar de esto, el Profeta comenzó a hacer el barco con la ayuda de sus discípulos. Primero, hicieron planes para construir el barco. Algunos dicen que tenía una longitud de seiscientos pies, y otros dicen que tenía una longitud de veinticuatrocientos pies. Fuera lo que fuera, el barco sería sin duda gigantesco.

"Te ayudaremos a construir el barco". Dijeron sus hijos y los creyentes, y se unieron al Profeta. Primero, el profeta tuvo que elegir un lugar para construir el barco. Escogió las montañas más alejadas de la ciudad. El Profeta recogió las herramientas y se puso en marcha para construir el barco. Empezaron a cortar los árboles para obtener madera. ¡Sí! Eran los mismos árboles que había plantado hace más de cien años. Entonces empezaron a construir el barco según el plan. Los hombres trabajaron muy duro, día y noche para construir el barco.

Cuando el incrédulo los vio construyendo un barco en la cima de una montaña, empezaron a burlarse de ellos.

"¡Ja, ja! Eres un viejo tonto", dijeron. "¿Por qué podrías necesitar un barco tan grande?" dijo el otro. "¿Y cómo vas a llevarlo al mar?"

"Lo sabrás muy pronto", respondió el Profeta Nuh$^{(A.S)}$. La gente no sabía por qué el Profeta estaba construyendo el barco. Pensaron que había perdido la cabeza.

El Profeta y sus hombres siguieron trabajando duro. Después de muchos meses, el barco estaba finalmente listo. Agradecieron a Alá$^{(S.W.T)}$ por ayudarles a terminar el barco. El momento de la inundación se acercaba día a día. Una noche, Alá le dijo al Profeta que empezaría a inundar la Tierra el día en que el Profeta viera salir agua de la estufa de su casa.

Esta enorme nave construida por el Profeta tenía tres secciones diferentes. Es para diferentes tipos de animales. La más alta era para los pájaros. La segunda parte de la estructura era para los humanos, y la tercera parte era para los animales.

A medida que se acercaba el día de la inundación, los animales y los pájaros empezaron a llegar uno por uno. Llegaban en parejas, un macho y una hembra. Había elefantes, jirafas, leones, conejos y diferentes especies de aves. Pronto, el barco se llenó de toda la variedad de animales y aves de la tierra.

Un día, como Alá$^{(S.W.T)}$ le había dicho al Profeta Nuh$^{(A.S)}$, el agua empezó a salir de repente de la estufa de su cocina. Esta era la señal que Nuh$^{(A.S)}$ estaba esperando. Comprendió que el momento de la inundación había llegado. Cuando salió, vio que también había empezado a llover. Sin perder tiempo, salió corriendo y llamó a todos los creyentes que le habían ayudado a construir el barco. Les pidió a todos ellos que abordaran el barco de una vez.

Los incrédulos no entendieron lo que estaba pasando. Así que se reían del Profeta y sus discípulos.

"¡Mira a estos tontos!" dijeron. "¿Qué va a hacer con todos esos animales y personas?"

El Profeta los ignoró y pidió a sus esposas e hijos que abordaran el barco rápidamente. Todos le obedecieron excepto una de sus esposas y su hijo, que no son sus seguidores.

"Me salvaré del agua", dijo su hijo. "No te preocupes por mí."

Los niveles de agua ya han subido. Así que el Profeta Nuh$^{(A.S)}$ corrió a abordar el barco. Se produjo una terrible inundación y los niveles de agua subieron rápidamente. La corteza de la Tierra se movió y el suelo oceánico empezó a subir, lo que provocó que se inundaran las tierras secas. La lluvia tampoco se detuvo durante horas.

Para entonces, la gente se había dado cuenta de que lo que el Profeta les dijo era ciertamente cierto. Corrieron hacia las montañas para salvarse. El Profeta vio que su esposa e hijo, subiendo una montaña para escapar del agua. Así que les gritó,

"¡Vamos! ¡Abordad la nave! ¡Sálvate!"

Pero lo ignoraron y subieron a la cima de la montaña. Entonces una enorme ola, más grande que la montaña en la que estaban, vino y los golpeó. Estas enormes olas arrasaron y mataron a todos los incrédulos. El agua siguió subiendo y subiendo, y después de algún tiempo, la Tierra se llenó completamente de agua.

Entonces el Profeta Nuh$^{(A.S)}$ dijo "¡Bismillah!"

Cuando el Profeta pronunció estas palabras, la nave comenzó a moverse. Las lluvias ya habían parado, pero la Tierra entera estaba llena de agua. El Profeta sabía que tenía que seguir navegando durante mucho tiempo. El barco tenía ochenta personas en él y el Profeta había tomado precauciones para almacenar suficiente comida para las personas y los animales. Alá$^{(S.W.T)}$ lo tenía todo planeado. Hizo que el barco fuera apto tanto para la silenciosa oveja como para el violento león. Todos los animales violentos estaban enfermos.

Todos vivían juntos, pero el Profeta se enfrentó a muchos problemas por las ratas. Estaban por todas partes corriendo de arriba a abajo, mordisqueando aquí y allá. Eran realmente los alborotadores, así que el Profeta rezó a Dios y fue entonces cuando Alá creó los gatos.

Los gatos cazaron a las ratas, y después de algún tiempo, las ratas comenzaron a comportarse también. Era difícil sostenerse con todas las otras especies en el espacio confinado de una nave, pero Alá$^{(S.W.T)}$ resolvió muchos problemas que el Profeta Nuh$^{(A.S)}$ tuvo que enfrentar durante el viaje.

Navegaron durante unos ciento cincuenta días pero no pudieron encontrar tierra en ningún lugar que pudieran ver. El Profeta, junto con los creyentes, esperó y esperó durante muchos días. Nuh$^{(A.S)}$ decidió entonces enviar un gran cuervo para ver si podía encontrar tierra en cualquier lugar pero el cuervo no regresó en absoluto. Entonces, el Profeta envió una paloma en busca de la tierra. La paloma se fue volando y después de unos días, volvió con una rama de olivo en el pico.

El Profeta y sus discípulos estaban emocionados, ya que sabían que estaban cerca de la tierra. El barco navegó más lejos durante algún tiempo y finalmente llegó a la cima del "Monte Judi".

Nuh$^{(A.S)}$ dijo '¡Bismillah!' y el barco dejó de moverse. Con la emisión de la orden divina, la calma volvió a la tierra, el agua retrocedió, y la tierra seca brilló una vez más con los rayos del sol. El diluvio había limpiado la tierra de los incrédulos y politeístas.

Después de viajar durante más de ciento cincuenta días, su viaje había llegado finalmente a su fin. El Profeta y otros creyentes salieron del barco. Y lo primero que hizo, fue poner su frente en el suelo en postración. El Profeta liberó primero a todos los animales, pájaros e insectos en la tierra.

Los supervivientes encendieron un fuego y se sentaron a su alrededor. Encender un fuego estaba prohibido en el barco para no encender la madera del barco y quemarlo. Ninguno de ellos había comido comida caliente durante todo el período de la tierra. Tras el desembarco hubo un día de ayuno en agradecimiento a Alá^(S.W.T).

Salieron y volvieron a poblar la Tierra. Ese fue un nuevo comienzo para la raza humana y la Tierra comenzó a poblarse de nuevo.

"Excepto para aquellos que son pacientes y hacen obras justas; esos tendrán el perdón y una gran recompensa." [Hud 11:11]

Profeta Ismael

(La paz sea con él)

La historia del Sacrificio

HACIA EL DESTINO DESIERTO

Después de que Allah$^{(S.W.T)}$ bendijera al Profeta Ibrahim$^{(A.S)}$ con un hijo, se le instruyó después de un tiempo para que se mudara a un lugar con su esposa e hijo. Se despertó y le dijo a su esposa Hajara$^{(R.A)}$ que buscara a su hijo y se preparara para un largo viaje. El niño aún estaba lactando y no había sido destetado.

El Profeta Ibrahim$^{(A.S)}$ caminó a través de tierras cultivadas, desierto y montañas hasta llegar al desierto de la Península Arábiga, y llegó a un valle sin cultivar que no tenía ni fruta, ni árboles, ni comida, ni agua. El valle no tenía signos de vida, y era un lugar muy, muy caliente. Después de que Ibrahim$^{(A.S)}$ ayudara a su mujer y a su hijo a desmontar, les dejó con una pequeña cantidad de comida y agua que apenas era suficiente para dos días. Se dio la vuelta y se marchó. Su esposa se apresuró a preguntarle: "¿Adónde vas Ibrahim, dejándonos en este valle estéril?"

Ibrahim$^{(A.S)}$ no le respondió, sino que siguió caminando. Ella repitió lo que había dicho, pero él permaneció en silencio. Finalmente, ella entendió que él no estaba actuando por su propia iniciativa. Se dio cuenta de que Alá le había ordenado que lo hiciera. Le preguntó:

"¿Te ordenó Alá que lo hicieras?" Él respondió: "Sí". Entonces su gran esposa dijo: "No nos perderemos ya que Alá que te ha ordenado está con nosotros."

Hajara$^{(R.A)}$ siguió amamantando a Ismael$^{(A.S)}$ y bebiendo del agua que tenía. Cuando el agua de la piel se agotó, tuvo sed y su hijo también la tuvo. Empezó a mirar a su hijo agonizando.

Se dijo a sí misma: "No, debo hacer un esfuerzo para tratar de buscar algo de comida".

Lo dejó, porque no podía soportar mirarlo, y encontró que la montaña de **"As-Safa"** era la más cercana a ella en esa tierra. Subió la montaña y comenzó a mirar el valle con atención para poder ver a alguien, pero no había nadie hasta el horizonte.

Entonces ella descendió 'As-Safa' llamando a Alá por ayuda. Cuando llegó al valle, se puso su túnica y corrió por el valle como una persona en apuros y problemas, hasta que cruzó el valle y llegó a la montaña de **"Al-Marwa"**. Allí se paró y empezó a mirar esperando ver a alguien, pero no pudo ver a nadie. Rezó a Alá por el sustento y repitió esa carrera entre As-Safa y Al-Marwa siete veces.

El Profeta Muhammad$^{(S.A.W.W)}$ ***dijo:*** "Esta es la fuente de la tradición de los Sa'ye, (rituales del Hajj, peregrinaje) el correr de la gente entre las montañas (As-Safa y Al-Marwa)."

Cuando llegó a Al-Marwa por última vez, escuchó una voz y se pidió a sí misma que se callara y escuchara atentamente.

Ella escuchó la voz de nuevo y dijo: "¡Oh, quienquiera que seas! Me has hecho oír tu voz; ¿tienes algo que me ayude?"

¡Y mira! Vio a un ángel, cavando la tierra con su talón (o su ala) hasta que el agua brotó de ese lugar. Después de expresar su agradecimiento a Alá Todopoderoso, empezó a hacer algo como una cuenca alrededor y comenzó a llenar su piel de agua. Decía **"zam-zam"**, que significa "detener el flujo de agua".

El Profeta Muhammad[S.A.W.W] dijo:

"¡Que Alá se apiade de la madre de Ismael! Si hubiera dejado fluir el zam-zam sin tratar de controlarlo, o si no hubiera sacado de esa agua para llenar su piel de agua, el zam-zam habría sido un arroyo que fluía en la superficie de la tierra."

Luego bebió agua y amamantó a su hijo. El ángel le dijo: "No tengas miedo de ser descuidado, porque esta es la Casa de Alá que será construida por este niño y su padre, y Alá nunca descuida a su pueblo." La Ka'ba en ese momento estaba en un lugar alto que parecía una colina, y cuando los torrentes llegaban, fluían a su derecha e izquierda.

En esa época, cuando las caravanas pasaban por esos desiertos, solían buscar pájaros como señal de la presencia del agua. Así, el clan de 'Jurhum' pasaba cerca de ese valle y notaron algunas aves en medio de la nada. No los esperaban, probablemente habían viajado antes y sabían que en esta región no hay ningún cuerpo de agua.

Decidieron enviar a uno de sus hombres a seguir a las aves hasta el destino del agua. Llegó cerca del valle de La Meca y vio a Bibi Hajara[R.A] con su hijo. Volvió con su gente y le explicó la situación. Estaban muy sorprendidos por la presencia de agua corriente en el valle.

Llegaron y le preguntaron a Bibi Hajara[R.A], "¿Te importa si vivimos aquí?"

Se dio cuenta de que estas personas tienen buen carácter, y son civilizados y cultos.

Ella les dijo: "Pueden vivir aquí y beneficiarse de esta agua como quieran, pero es nuestra propiedad, no la suya. Esta agua nos pertenece."

Hicieron del valle su lugar de vida y fueron muy felices por la generosidad de Bibi Hajara[R.A] El Profeta Ismael[A.S] se crió entre ellos y lo amaron mucho. Eran árabes puros, así que le enseñaron árabe. Mientras tanto, su padre, el Profeta Ibrahim[A.S] solía visitarlos ocasionalmente. Estaba muy contento de ver a la gente viviendo en armonía en el valle.

LA PRUEBA DEL SACRIFICIO

Una vez, cuando el Profeta Ibrahim[A.S] estaba en La Meca, tuvo un sueño.

Se vio a sí mismo matando a su hijo Ismael.

El Profeta Ibrahim[A.S] estaba en una posición muy difícil, ya que era una gran prueba para el Profeta como padre.

"Masacre a su hijo". La orden divina decía.

El Profeta dijo en obediencia, "¡Oh Alá! Escuchamos y obedecemos, sin importar lo que ordenes. "

Sabía que la orden de Alá debía ser implementada. Al día siguiente, el Profeta Ibrahim[(A.S)] le contó el sueño a su hijo.

"Oh hijo mío, he sido instruido en un sueño por Alá[(S.W.T)] para sacrificarte. Entonces, ¿qué crees que debo hacer?"

El Profeta Ismael[(A.S)] respondió: "Oh, padre mío, haz lo que Alá te ha ordenado. Me encontrarás entre aquellos que son pacientes".

Esto muestra la obediencia de los Profetas a la voluntad de Alá. Un corazón verdadero que teme a Alá y le obedece.

Entonces, el Profeta Ibrahim[(A.S)] alejó a Ismael[(A.S)] de su madre y buscó un lugar para asesinar a su hijo. En el camino, Iblees vino y trató de impedir que Ibrahim[(A.S)] cumpliera la orden de Alá.

Iblees dijo: "¡Oh Ibrahim! ¿De verdad vas a masacrar a tu propio hijo? Acabas de ver un sueño; tal vez fue sólo un sueño."

El Profeta Ibrahim[(A.S)] agarró piedras y le tiró. Iblees trató de sacudir la decisión de[(A.S)] de Ismael, así que también apedreó a Iblees. Este acto se convirtió en la parte del Hayy donde los musulmanes lanzan esos tres tiros diferentes, como recuerdo de que cuando intentas hacer algo por Alá, sé firme y fuerte.

Tanto el padre como el hijo encontraron una gran roca, adecuada para poner a Ismael[(A.S)] en ella y matarlo.

Ismael[(A.S)] conocía el afecto de su padre hacia él, así que dijo:

"¡Oh padre! Pon mi cara hacia el suelo, por si acaso si me miras a la cara mientras estás matando, podrías abrumarte con simpatía y dejar de sacrificarme. Afila tu cuchillo, para que puedas matarme rápidamente, cumpliendo la orden de Alá[(S.W.T)]."

Cuando Ibrahim[(A.S)] agarró el cuchillo, lo puso en el cuello de Ismael[(A.S)] y comenzó a matarlo, el cuchillo giró hacia el otro lado. Lo intentó de nuevo pero el cuchillo no cortó la garganta de Ismael[(A.S)] porque era la orden de Alá que el cuchillo no cortara.

El Profeta Ibrahim[(A.S)] lo intentó por última vez con toda su fuerza y el cuchillo empezó a cortar el cuello, pero no era el cuello del Profeta Ismael[(A.S)] Alá[(S.W.T)] reemplazó a Ismael[(A.S)] con un carnero del paraíso. Ibrahim[(A.S)] miró y vio que era un carnero.

Alá llamó a Ibrahim[(A.S)]:

"¡Oh Ibrahim! Eres realmente sincero con nosotros. Te hemos puesto a prueba y has pasado la prueba. De hecho, esta fue una prueba clara. "

Tanto el padre como el hijo pasaron la última prueba.

LA FUNDACIÓN DE KA'BAH

Los días pasaron. El Profeta Ibrahim$^{(A.S)}$ se mantuvo alejado de ellos por un período de tiempo que Alá deseaba y luego un día llegó otra orden de Alá$^{(S.W.T)}$; de construir una casa como símbolo de la unicidad de Alá Todopoderoso.

Así, Ibrahim$^{(A.S)}$ fue al valle de Meca y vio a Ismael$^{(A.S)}$ sentado bajo un árbol cerca de Zam-Zam, afilando sus flechas. Cuando Ismael$^{(A.S)}$ vio a su padre, se levantó para darle la bienvenida, y se saludaron como hace un padre con su hijo o un hijo con su padre.

Ibrahim$^{(A.S)}$ dijo: "¡Oh Ismael! Alá me ha dado una orden. "

Ismael$^{(A.S)}$ respondió: "Haz lo que tu Señor te ha ordenado hacer. "

"¿Me ayudarás? "

Ismael$^{(A.S)}$ dijo: "Sí, te ayudaré. "

Ibrahim$^{(A.S)}$ dijo: "Alá me ha ordenado construir una casa aquí", señalando una colina más alta que la tierra que la rodea.

Luego levantaron los cimientos de la Casa (la Ka'bah). El Profeta Ismael$^{(A.S)}$ trajo las piedras mientras el Profeta Ibrahim$^{(A.S)}$ construía los muros. Cuando los muros se hicieron altos, Ismael$^{(A.S)}$ trajo una piedra y la puso para Ibrahim$^{(A.S)}$, quien se paró sobre ella y siguió construyendo. Cuando se hizo más alta, Allah$^{(S.W.T)}$ hizo que la roca sobre la que Ibrahim$^{(A.S)}$ estaba de pie, se elevara al colocar la roca y descendiera cuando Ibrahim$^{(A.S)}$ necesitara recoger otra roca.

Mientras Ismael$^{(A.S)}$ le entregaba las piedras, ambos decían:

"¡Nuestro Señor! Acepta este servicio de nosotros, de verdad, ¡Tú eres Quien todo lo oye, Quien todo lo sabe!". (Ch 2:127-Quran)

Y cuando se construyó la casa, quedaba una esquina para arreglar una roca. Ibrahim$^{(A.S)}$ pensó para sí mismo,

"Tuve que poner una roca adecuada en esta esquina que encaje y complete la pared."

Ismael$^{(A.S)}$ fue a buscar la roca pero no la encontró. Cuando regresó, vio una hermosa roca allí.

Ibrahim$^{(A.S)}$ dijo: "Alá me envió una piedra de Jannah".

Esta es la roca que hoy llamamos **"Al-Hajar Al-Aswad"**. Era blanca en ese momento, pero se volvió negra por los pecados de la gente.

A través del tiempo, la civilización y los asentamientos comenzaron a tener lugar en el valle de La Meca. El Profeta Ismael$^{(A.S)}$ se mezcló con la tribu yemení 'Jurhum' y se hizo fluido en el idioma árabe, entregando el mensaje de Allah$^{(S.W.T)}$ a la gente. De la descendencia del Profeta Ismael$^{(A.S)}$, viene la tribu 'Quraish', y de Quraish, 'Hashim'. Abdul Mutallib[R.A] era un "Hashmi", que es el abuelo del Profeta Muhammad[S.A.W.W].

Allah[S.W.T] describe las hermosas características del Profeta Ismael[A.S] en el Corán,

"Y menciona en el Libro, Ismael. De hecho, fue fiel a su promesa, y fue un mensajero y un Profeta. Y solía ordenar a su pueblo la oración y el zaká, y era agradable a su Señor."

Profeta Yusuf

(La paz sea con él)

El Hombre Más Bello Y El Intérprete De Los Sueños

Esta es la historia más detallada y fascinante del Corán, que involucra tanto las debilidades humanas, como los celos, el odio, el orgullo, la pasión, el engaño, la intriga, la crueldad y el terror, como las cualidades nobles, como la paciencia, la lealtad, la valentía, la nobleza y la compasión.

Se cuenta que entre las razones de su revelación está que los judíos le pidieron al Profeta Muhammad(S.A.W.W) que les hablara del Profeta Joseph/Yusuf(A.S), que era uno de sus antiguos Profetas. Su historia había sido distorsionada en algunas partes y fallida en otras con interpolaciones y exclusiones. Por lo tanto, fue revelado en el Corán - el último y auténtico libro de Alá(S.W.T) - completo en sus minuciosos y cuidadosos detalles.

Yusuf(A.S) vivió toda su vida enfrentándose a los planes de la gente más cercana a él. La historia del Profeta Yusuf(A.S) le inspira un sentimiento de la profundidad del poder de Alá, la supremacía y la ejecución de sus decisiones a pesar del desafío de la intervención humana.

"Y Alá tiene pleno poder y control sobre sus asuntos, pero la mayoría de los hombres no lo saben." (Ch 12:21)

EL SUEÑO

El profeta Yusuf(A.S) era hijo del profeta Yaqoob(A.S) y de Rahel. Tenía un hermano menor llamado Binyamin. Yaqoob(A.S) tuvo doce hijos en total. Amaba a Yusuf y a Binyamin más que a sus otros hijos. Esto hizo que los otros hermanos se enfadaran mucho con ellos.

La historia comienza con un sueño y termina con su interpretación. Cuando el sol apareció en el horizonte, bañando la tierra en su gloria matutina, Yusuf(A.S) despertó de su sueño, encantado por un agradable sueño que tuvo.

Lleno de emoción, corrió hacia su padre y lo relató.

"Vi once estrellas en el cielo, y el sol, y la luna. Todas se inclinaban ante mí." Le dijo a su padre.

El joven Profeta estaba bastante sorprendido por este sueño. Se preguntaba por qué las estrellas se inclinaban ante él. No entendía el significado. Yaqoob(A.S) era un Profeta, y entendía el significado del sueño. Y estaba muy feliz. Su rostro se iluminó. Previó que Yusuf(A.S) sería uno de los que cumpliría la profecía de su abuelo, el Profeta Ibrahim(A.S), en el sentido de que su descendencia mantendría viva la luz de la casa de Ibrahim y difundiría el mensaje de Alá a la humanidad.

"Alá(S.W.T) te ha bendecido, Yusuf." El viejo Profeta le dijo a su hijo. "Este sueño significa que se te dará conocimiento y profecía."

Yaqoob(A.S) era un hombre sabio y viejo, por lo que sabía que sus otros hijos no estarían felices de escuchar sobre el sueño de Yousuf. Así que le advirtió,

"¡Hijo mío! No le cuentes a ninguno de tus hermanos tu sueño. Estarán celosos de ti, y se convertirán en tus enemigos".

Yusuf(A.S) consideró la advertencia de su padre. No le dijo a sus hermanos lo que había visto. Es bien sabido que lo odian tanto que le fue difícil sentirse seguro al contarles lo que había en su corazón y en sus sueños.

Yusuf(A.S) tenía dieciocho años, muy guapo y robusto, con un temperamento suave. Era respetuoso, amable y considerado. Su hermano Binyamin era igualmente agradable. Ambos eran de una madre, Rahel. Debido a sus refinadas cualidades, el padre los amaba más que a sus otros hijos, y no los perdía de vista. Para protegerlos, los mantenía ocupados con el trabajo en el jardín de la casa.

EL COMPLOT CONTRA YUSUF(A.S)

De hecho, Yusuf(A.S) mantuvo la orden de su padre y no le dijo a sus hermanos sobre su visión. A pesar de esto, sus hermanos se sentaron a conspirar contra él.

Uno de ellos preguntó: "¿Por qué nuestro padre ama a Yusuf más que a nosotros?"

Otro respondió: "Tal vez por su belleza".

Un tercero dijo: "Yusuf y su hermano ocuparon el corazón de nuestro padre".

El primero se quejó: "Nuestro padre se ha extraviado."

Uno de ellos sugirió una solución al asunto: "¡Matar a Yusuf!"

"¿Dónde deberíamos matarlo?"

"Deberíamos desterrarle de estos terrenos."

"Lo enviaremos a una tierra lejana."

"¿Por qué no lo matamos y descansamos, para que el favor de tu padre te sea concedido sólo a ti?"

Sin embargo, Judá (Yahudh), el mayor y más inteligente de todos ellos, dijo: "No hay necesidad de matarlo cuando todo lo que quieres es deshacerte de él. Mirad aquí, tirémoslo a un pozo y será recogido por una caravana que pase. Lo llevarán con ellos a una tierra lejana. Desaparecerá de la vista de tu padre, y nuestro propósito se cumplirá con su exilio. Después de eso, nos arrepentiremos de nuestro crimen y nos convertiremos de nuevo en buenas personas".

Continuó el debate sobre la idea de arrojar a Yusuf(A.S) a un pozo, ya que se consideraba la solución más segura. Rechazaron el plan de matarlo; se aprobó el secuestro en una tierra lejana. Era la más inteligente de las ideas.

Entonces, los diez hermanos fueron a ver a su padre y le pidieron,

"¡Oh, padre nuestro! ¿Por qué no nos confiáis a Yusuf, cuando somos sus bienhechores? Envíalo con nosotros mañana para que se divierta y juegue, y en verdad, lo cuidaremos."

"Yusuf es nuestro querido hermano pequeño", dijo uno de ellos.

"Somos los hijos del mismo padre. Entonces, ¿de qué tienes miedo? Por favor, mándalo con nosotros", dijo otro hermano.

"Lo vigilaremos".

Pero Yaqoob^(A.S) estaba aterrorizado por Yusuf^(A.S). Él dijo,

"Temo que el lobo se lo lleve mientras juegas." Sabía que los hermanos estaban celosos de él y que no lo amaban. Al principio se negó.

"¡Nunca!" respondió un hermano. "¿Cómo puede un lobo comérselo cuando nosotros estamos allí? Somos fuertes, y podemos salvarlo, padre."

Después de mucha compulsión por parte de los hermanos, Yaqoob^(A.S) les permitió llevarse a Yusuf^(A.S) con ellos.

Al día siguiente, estaban emocionados de poder deshacerse de Yusuf, ya que después de esto podrían tener más posibilidades de recibir el afecto de su padre. Los hermanos se llevaron a Yusuf^(A.S) con ellos al bosque. Caminaron a través del bosque y fueron directamente al pozo como lo habían planeado. Se inclinaron sobre la barandilla con el pretexto de beber agua.

Fue entonces cuando uno de los hermanos puso sus brazos alrededor de Yusuf^(A.S) y lo abrazó con fuerza. Sorprendido por su inusual comportamiento, Yusuf^(A.S) luchó por liberarse. Entonces todos los hermanos se unieron y lo sujetaron para que no se pudiera mover. Entonces, uno de ellos le quitó la camisa. Juntos, levantaron a Yusuf^(A.S) y lo arrojaron al pozo profundo. Las lamentables súplicas del joven Yusuf no cambiaron nada en sus crueles corazones. Lloró pidiendo ayuda y rogó a sus hermanos que lo salvaran, pero los hermanos sacudieron la cabeza y no hicieron caso de las súplicas de su hermano.

Yusuf^(A.S) estaba solo en el profundo pozo oscuro. Estaba muy asustado y llorando. Entonces Alá^(S.W.T) le reveló que estaba a salvo y que no debía temer, porque se encontraría con ellos algún día para recordarles lo que habían hecho. El agua poco profunda lo salvó. Luego se aferró a un saliente de roca y se subió a él. Sus hermanos lo dejaron en este lugar desolado.

Luego mataron una oveja, y empaparon la camisa de Yusuf en su sangre. Un hermano dijo que debían jurar mantener su acto en secreto. Todos ellos hicieron el juramento, y vinieron llorando a su padre en la primera parte de la noche.

"¿Por qué este llanto? ¿Le ha pasado algo a nuestro rebaño?" Yaqoob^(A.S) se preguntó.

Respondieron llorando: "¡Oh, padre nuestro! Fuimos a la carrera y dejamos a Yusuf con nuestras pertenencias y un lobo lo devoró; pero nunca nos creerás ni siquiera cuando digamos la verdad".

"Nos sorprendió después de regresar de la carrera que Yusuf estaba en la barriga del lobo."

"¡No lo vimos!"

"¡No nos creerán aunque seamos sinceros! ¡Les estamos diciendo lo que pasó!"

"¡El lobo se ha comido a Yusuf!"

"Esta es la camisa de Yusuf. La encontramos manchada de sangre y no encontramos a Yusuf!"

Trajeron su camisa manchada con sangre falsa. En el fondo del corazón, Yaqoob^(A.S) sabía que su amado hijo seguía vivo y que sus otros hijos estaban mintiendo. Sostuvo la camisa manchada de sangre en sus manos, la extendió y señaló,

"¡Qué lobo misericordioso! ¡Se comió a mi amado hijo sin rasgarse la camisa!"

Los rostros de sus hijos se pusieron rojos cuando Yaqoob^(A.S) exigió más información, pero cada uno juró por Alá que estaban diciendo la verdad.

"No". Pero vosotros mismos habéis inventado un cuento. Así que, para mí, la paciencia es más apropiada. Es sólo Alá a quien se puede pedir ayuda contra lo que afirmas". El padre con el corazón roto estalló en lágrimas.

El padre actuó sabiamente rezando por una paciencia poderosa y libre de dudas, y confiando en Alá para que le ayudara en lo que habían planeado contra él y su hijo.

PRIMERA ESCALERA A LA GRANDEZA

En el pozo oscuro, Yusuf^(A.S) se las arregló para encontrar una cornisa de piedra a la que aferrarse. Alrededor de él había una oscuridad total y un espeluznante silencio. Pensamientos temerosos entraron en su mente,

"¿Qué me pasaría?"

"¿Dónde podría encontrar comida?"

"¿Por qué mis propios hermanos se han vuelto contra mí?"

"¿Sabría mi padre de mi situación?"

La sonrisa de su padre pasó ante él, recordando el amor y el afecto que siempre le había mostrado. Yusuf^(A.S) comenzó a rezar fervientemente, suplicando a Alá^(S.W.T) por la salvación. Poco a poco, su miedo se fue calmando. Su Creador estaba probando al joven con una gran desgracia para infundirle un espíritu de paciencia y coraje. Yusuf^(A.S) se sometió a la voluntad de su Señor.

Un grupo de personas estaba viajando a través de ese desierto. En el horizonte hay una larga línea de camellos, caballos y hombres; una caravana en camino a Egipto. La caravana de mercaderes se detuvo en este famoso pozo de agua. Tenían sed y buscaban agua. Cuando vieron el pozo, enviaron a un hombre para que les trajera agua. El hombre llegó al pozo y bajó un cubo.

Yusuf^(A.S) se sorprendió al ver que el cubo se precipitaba hacia abajo y se agarró a él antes de que pudiera aterrizar en el agua. Cuando el hombre empezó a arrastrar, sintió la carga inusualmente pesada, así que se asomó al pozo. Lo que vio le sorprendió; ¡un joven se aferraba a la cuerda! Se agarró a la cuerda y gritó a sus amigos,

"¡Mejor que me den una mano, compañeros! ¡Parece que he encontrado un verdadero tesoro en el pozo!"

Sus compañeros corrieron al pozo y le ayudaron a sacar al desconocido agarrándose a la cuerda. Pronto, ante ellos estaba un joven sano y guapo, radiante con una sonrisa angelical. Vieron en él un hermoso premio, ya que el dinero era todo lo que les importaba. Inmediatamente le pusieron grilletes de hierro en los pies y lo llevaron a Egipto, lejos de su amada tierra natal de Canaán.

Viajaron durante muchos días y noches a través del desierto. Y después de muchos días de viaje, finalmente llegaron a Egipto. Los viajeros fueron al mercado y pusieron a Yusuf$^{(A.S)}$ en subasta. Por toda la ciudad egipcia, se corrió la noticia de que un joven esclavo inusualmente guapo y robusto estaba en venta. La gente se reunió por cientos en el mercado de esclavos. Algunos eran espectadores, otros eran postores. La élite y los ricos, cada uno agitando su cuello para ver el apuesto ejemplar. El subastador tuvo un día increíble mientras la puja se volvió loca, cada comprador tratando de superar al otro.

"¿Quién comprará a este apuesto joven?" Gritaron.

Finalmente, el Aziz, el ministro principal de Egipto, superó a todos los demás y llevó a Yusuf$^{(A.S)}$ a su mansión. Las cadenas de la esclavitud se cerraron para Yusuf$^{(A.S)}$. Fue arrojado al pozo, privado de su padre, recogido del pozo, hecho esclavo, vendido en el mercado, e hizo la propiedad de este hombre, el Aziz, el ministro principal. Los peligros siguieron en rápida sucesión, dejando a Yusuf$^{(A.S)}$ indefenso.

Lo que vemos como peligros y calumnias es el primer peldaño de la escalera en su camino hacia la grandeza. Alá$^{(S.W.T)}$ es decisivo en su acción y su plan se lleva a cabo a pesar de los planes de otros. Alá le ha prometido a Yusuf$^{(A.S)}$ ser profeta.

El amor por Yusuf$^{(A.S)}$ se introdujo en el corazón del hombre que lo compró, y era un hombre de posición nada despreciable. Era un personaje importante, uno de la clase dirigente de Egipto. Por lo tanto, Yusuf$^{(A.S)}$ se sorprendió gratamente cuando el primer ministro de Egipto ordenó a sus hombres que le quitaran los pesados grilletes de sus pies hinchados. También se sorprendió cuando le dijo a Yusuf$^{(A.S)}$ que no traicionara su confianza; no sería maltratado si se comportaba. Yusuf$^{(A.S)}$ sonrió a su benefactor, le agradeció y prometió ser leal.

Yusuf$^{(A.S)}$ se sintió a gusto, porque por fin estaba protegido y sería bien atendido. Agradeció a Alá$^{(S.W.T)}$ una y otra vez, y se preguntó sobre el misterio de la vida. No hace mucho tiempo, había sido arrojado a un profundo y oscuro pozo sin esperanza de salir con vida. Luego fue rescatado, luego esclavizado con grilletes de hierro, y ahora se movía libremente en una lujosa mansión con suficiente comida para disfrutar. Pero, su corazón le dolía con el anhelo por sus padres y su hermano Binyamin, y derramaba lágrimas diariamente.

EL SEGUNDO JUICIO DE YUSUF^(A.S)

Yusuf^(A.S) fue nombrado asistente personal de la esposa del Primer Ministro. Era obediente y siempre obediente. Con sus agradables modales y su encantador comportamiento, se ganó el corazón de todos. Su belleza se convirtió en la comidilla del pueblo. La gente se refería a él como el hombre más atractivo que habían visto y escribían poesía sobre él. Su rostro era de una belleza inmaculada. La pureza de su alma y su corazón se mostraba en su rostro, aumentando su belleza. La gente de lejos venía a la ciudad para verlo. Las doncellas más bonitas y las damas más ricas anhelaban poseerlo, pero ni una sola vez mostró arrogancia u orgullo. Siempre fue humilde y cortés.

A Yusuf^(A.S) se le dio sabiduría en los asuntos y conocimiento de la vida y sus condiciones. Ha dado el arte de la conversación, cautivando a los que lo escucharon. Se le dio la nobleza y el autocontrol, lo que le hizo una personalidad irresistible. Su maestro pronto supo que Alá^(S.W.T) le había agraciado con Yusuf^(A.S). Comprendió que era la persona más honesta, directa y noble que había conocido en su vida. Así que puso a Yusuf a cargo de su casa, lo honró y lo trató como a un hijo.

La esposa del Primer Ministro, Zulaikha, observaba a Yusuf^(A.S) día a día. Se sentaba con él, hablaba con él, le escuchaba, y su asombro aumentaba con el paso del tiempo.

Yusuf^(A.S) se enfrentó entonces a otro juicio de Alá^(S.W.T). Zulaikha no pudo resistirse al guapo Yusuf^(A.S), y su obsesión por él le causó noches de insomnio. Se enamoró de él, y fue doloroso para ella estar tan cerca de un hombre, y sin embargo ser incapaz de abrazarlo. Sin embargo, no era una mujer caprichosa, porque en su posición podía conseguir cualquier hombre que deseara. Según todos los indicios, debía ser una dama muy bonita e inteligente, o ¿por qué el Primer Ministro la eligió a ella entre todas las mujeres bonitas del reino? Aunque ella no le dio ningún hijo, él no tomaría otra esposa, ya que la amaba apasionadamente.

Como no podía controlar su pasión por más tiempo. Un día, cuando el Profeta estaba a solas con ella en el dormitorio, ella trató de besarlo. Pero Yusuf^(A.S) temía a Alá^(S.W.T), así que lo negó ya que era un recto adorador de Dios. Se alejó de ella hacia la puerta. El rechazo de Yusuf sólo aumentó su pasión. Mientras se dirigía hacia la puerta para escapar, ella corrió tras él y se agarró a su camisa, como un ahogado aferrado al barco. Al tirar de la camisa, le rompió la camisa y sostuvo el trozo desgarrado en su mano. Llegaron juntos a la puerta. Se abrió de repente, allí estaban su marido y un pariente suyo.

Yusuf^(A.S) vio a su esposo parado frente a él. La astuta mujer cambió inmediatamente su tono a la ira y empezó a mostrar el trozo de camisa desgarrado en su mano. Le dijo a su marido,

"¿Cuál es el castigo para el que intentó un mal diseño contra su esposa? ¡Deberíamos ponerlo en prisión!"

Ahora acusaba a Yusuf^(A.S) de abusar de ella, para dar la impresión de que era inocente y víctima de su deseo. Sin embargo, desconcertado Yusuf^(A.S) lo negó,

"Era ella la que quería seducirme."

Pasaron la camisa de mano en mano, mientras ella miraba. El testigo (su primo) la miró y encontró que estaba desgarrada en la espalda. Las pruebas mostraron que era culpable. El marido decepcionado le comentó a su esposa,

"Si él fue el que te atacó, la camisa se habría rasgado por delante. Pero su camisa está rasgada por detrás, lo que significa que estás mintiendo. ¡Seguramente, fue tu plan!" Él respondió.

El sabio y justo Aziz se disculpó con Yusuf^(A.S) por la indecencia de su esposa. También la instruyó para que le pidiera perdón a Yusuf^(A.S) por acusarlo falsamente.

Un incidente como este no puede permanecer en secreto en una casa llena de sirvientes, y la historia se difundió. La noticia del incidente se difundió en el pueblo como un incendio forestal. Las mujeres comenzaron a ver el comportamiento de Zulaikha como impactante.

Naturalmente, sus chismes afligieron a Zulaikha. Ella creía honestamente que no era fácil para ninguna mujer resistirse a un hombre tan guapo como Yusuf. Para probar su impotencia, planeaba someter a esas mujeres a la misma tentación que ella. Las invitó a un suntuoso banquete. Nadie así invitado querría perderse el honor de cenar con la esposa del primer ministro; además, albergaban en secreto el deseo de conocer al guapo Yusuf cara a cara. Algunos de sus amigos cercanos dijeron en broma que vendrían sólo si ella les presentaba a Yusuf.

La invitación estaba restringida a las damas. El banquete comenzó, la risa y la alegría abundaron. La etiqueta dictaba que las damas no mencionaran el tema de Yusuf^(A.S). Se sorprendieron, por lo tanto, cuando la propia Zulaikha abrió el tema.

"He oído hablar de aquellos que dicen que me he enamorado del joven hebreo, Yusuf."

El silencio cayó sobre el banquete. En seguida, las manos de los invitados se detuvieron y todos los ojos se posaron en la esposa del Primer Ministro. Ella dijo mientras daba órdenes para que se sirviera la fruta:

"Admito que es un tipo encantador. No niego que lo amo. Lo he amado durante mucho tiempo."

La confesión de la esposa del Primer Ministro eliminó la tensión entre las damas. Después de terminar su cena, los invitados comenzaron a cortar su fruta. En ese mismo momento, ella convocó a Yusuf^(A.S) para que hiciera su aparición. Él entró en la sala con gracia; su mirada estaba baja. Zulaikha lo llamó por su nombre y él levantó la cabeza. Los invitados estaban asombrados y atónitos. Su cara estaba brillante y llena de una belleza angelical. Reflejaba una completa inocencia, tanto que se podía sentir la paz mental en el fondo de su alma.

Exclamaron con asombro mientras seguían cortando el fruto. Todos sus ojos estaban puestos en Yusuf(A.S). La presencia de Yusuf(A.S) fue tan efectiva que las mujeres comenzaron a cortarse la palma de la mano ausentes sin sentir ningún dolor.

Una de las damas se quedó sin aliento: "¡Qué perfecto es Alá!"

Otro susurró: "¡Este no es un ser mortal!"

Otro tartamudo, dándole palmaditas en el pelo: "Es un ángel noble".

Entonces la esposa del Primer Ministro se puso de pie y anunció:

"Este es el único por el que me han culpado. No niego que lo haya tentado. Te ha encantado la sola visión de Yusuf y mira lo que ha pasado con tus manos. Lo he tentado, y si no hace lo que quiero de él, lo encarcelaré".

"¡Oh, Señor!", respondió el Profeta con calma. "Prefiero ir a la cárcel que cometer un pecado. No quiero ser uno de los que cometen pecados y merecen ser culpados, o de los que hacen obras de los ignorantes."

Esa noche, Zulaikha convenció a su marido de que la única manera de salvar su honor era poner a Yusuf(A.S) en la cárcel; de lo contrario, no podría controlarse ni salvaguardar su prestigio. El ministro principal sabía que Yusuf(A.S) era absolutamente inocente, que era un joven de honor, un sirviente leal, y que lo amaba por todas estas razones. El Primer Ministro lo amaba como a un hijo y nunca había conocido a nadie que le fuera tan leal. No fue una decisión fácil para él poner a un hombre inocente tras las rejas. Sin embargo, no le dejaron otra opción. Pensó que el honor de Yusuf(A.S) también estaría salvaguardado si lo mantenía fuera de la vista de Zulaikha. Esa noche, con el corazón apesadumbrado, el ministro principal envió a Yusuf(A.S) a la prisión.

EL ENCARCELAMIENTO DE UN INOCENTE

La prisión fue la tercera prueba de Yusuf(A.S). Durante este período, Alá(S.W.T) lo bendijo con un extraordinario don; la habilidad de interpretar los sueños. Había gente en la prisión que sabía que Yusuf(A.S) era un joven noble, con conocimientos expertos y un corazón misericordioso. Lo amaban y respetaban. Más o menos al mismo tiempo, otros dos hombres llegaron a la prisión. Uno era el copero del Rey; el otro era el cocinero del Rey. Los dos hombres sintieron que Yusuf(A.S) no parecía un criminal, ya que un aura de piedad brillaba en su cara. Esa noche, los dos nuevos reclusos tuvieron un extraño sueño. Cuando se despertaron, estaban confundidos porque no podían entender el significado del sueño. Estaban ansiosos por que se les explicara.

El cocinero del rey soñó que estaba de pie en un lugar con pan en la cabeza, y dos pájaros estaban comiendo el pan. El copero soñó que estaba sirviendo vino al rey. Los dos fueron a Yusuf(A.S) y le contaron sus sueños, pidiéndole que les diera su significado.

Al escuchar esto, el Profeta Yusuf$^{(A.S)}$ los llamó primero a Alá$^{(S.W.T)}$. Luego, les dijo el significado de sus sueños. Dijo que el cocinero sería crucificado hasta que muriera y los pájaros comerían de su cabeza.

Entonces Yusuf$^{(A.S)}$ le pidió al copero que le contara su sueño.

"Vi que estaba de pie dentro del palacio y sirviendo vino al rey."

El Profeta rezó durante algún tiempo y dijo,

"Pronto serás liberado y volverás al servicio del rey." El Profeta le pidió al copero que hablara con el rey sobre él y le dijera que había un alma agraviada llamada Yusuf en la prisión.

Lo que Yusuf$^{(A.S)}$ predijo sucedió; el cocinero fue crucificado, y el copero regresó al palacio. Después de que el copero regresó al servicio, Satanás le hizo olvidar mencionar a Yusuf$^{(A.S)}$ al rey. Por lo tanto, permaneció en prisión durante unos años, pero fue persistente al rezar a Alá$^{(S.W.T)}$.

YUSUF$^{(A.S)}$ INOCENCIA ESTABLECIDA

Unos años después, una noche, el rey estaba durmiendo en su palacio. Tuvo un sueño extraño esa noche. Vio que estaba parado a la orilla del río Nilo. El agua retrocedía, revelando el barro desnudo. Vio a los peces saltando y brincando sin agua.

Luego, vio siete vacas gordas saliendo del agua, seguidas de siete vacas flacas. Las vacas flacas comenzaron a tragarse las vacas gordas. El rey estaba aterrorizado después de ver esto.

Luego vio siete mazorcas de maíz verde creciendo a la orilla del río. De repente, desaparecieron y en su lugar crecieron siete mazorcas secas de maíz.

El rey se despertó asustado, conmocionado y deprimido, sin saber qué significaba todo esto. Envió sirvientes para que vinieran los hechiceros, sacerdotes y ministros. Les contó su sueño.

Los hechiceros dijeron: "Este es un sueño confuso. ¿Cómo puede ser eso? Es una pesadilla".

Los sacerdotes dijeron: "Tal vez su majestad tuvo una cena pesada".

El Ministro Principal dijo: "¿Podría ser que su majestad estuviera expuesto y no sacara la manta por la noche?"

El bufón del Rey dijo, en broma: "Su majestad está envejeciendo, y por eso sus sueños son confusos."

Llegaron a la conclusión unánime de que era sólo una pesadilla.

La noticia llegó al copero. Recordó el sueño que tuvo en la prisión y lo comparó con el sueño del rey, y, por lo tanto, Yusuf$^{(A.S)}$ vino a su mente. Corrió hacia el rey para contarle sobre Yusuf$^{(A.S)}$, que era el único capaz de interpretar el sueño.

El copero dijo: "Me pidió que te lo recordara, pero lo olvidé". El rey envió al copero a preguntarle a Yusuf$^{(A.S)}$ sobre el sueño.

Yusuf$^{(A.S)}$ se lo interpretó: "Habrá siete años de abundancia. Si la tierra se cultiva adecuadamente, habrá un exceso de buena cosecha, más de lo que la gente necesitará. Esto debe ser almacenado. A partir de entonces, seguirán siete años de sequía en el reino. La gente no tendrá suficiente para comer y la comida será escasa en todo Egipto, durante los cuales podrían utilizar el exceso de grano".

También aconsejó que durante la hambruna, debían guardar algo de grano para ser usado como semilla para la próxima cosecha. Yusuf$^{(A.S)}$ añadió entonces: "Después de siete años de sequía, habrá un año en el que el agua será abundante. Si usan el agua adecuadamente, las vides y los olivos crecerán en abundancia, proporcionando abundantes uvas y aceite de oliva".

El copero se apresuró a volver con la agradable noticia. La interpretación de Yusuf$^{(A.S)}$ fascinó al rey. Estaba muy sorprendido. ¿Quién podría ser esta persona? Ordenó que Yusuf$^{(A.S)}$ fuera liberado de la prisión y se le presentó de inmediato.

El enviado del rey fue a buscarlo inmediatamente, pero Yusuf$^{(A.S)}$ se negó a abandonar la prisión a menos que se probara su inocencia. Tal vez lo acusaron de cortar las manos de las damas o de tratar de seducirlas. Tal vez cualquier otra falsa acusación fue hecha. No sabemos exactamente lo que le dijeron a la gente para justificar la sentencia de Yusuf a la prisión.

El enviado regresó con el rey.

"¿Dónde está Yusuf? ¿No te ordené que lo buscaras?" El rey preguntó.

El enviado respondió: "Se negó a irse hasta que se establezca su inocencia respecto a las damas que se cortan las manos".

El rey sintió que Yusuf$^{(A.S)}$ había sido perjudicado injustamente, pero no sabía exactamente cómo había sucedido. Así que inmediatamente ordenó una investigación.

El rey lo ordenó: "¡Traed a las esposas de los ministros y a la esposa del primer ministro de inmediato!"

Trajeron a la esposa del Primer Ministro a su corte junto con las esposas de los otros ministros.

El rey preguntó: "¿Cuál es la historia de Yusuf? ¿Qué sabes de él? ¿Es cierto que trató de molestar a la esposa del Primer Ministro?"

Una de las damas interrumpió al rey exclamando: "¡Alá no lo permita!"

Un segundo dijo: "No sabemos de ningún mal que haya hecho".

Un tercero dijo: "Es inocente como los ángeles".

Ahora, los ojos de todos se volvieron hacia la esposa del Primer Ministro. Ahora tenía la cara arrugada y había perdido peso. Ella había sido abrumada por el dolor por Yusuf$^{(A.S)}$ mientras estaba en prisión. Ella confesó audazmente que había mentido, y que él había dicho la verdad.

"Le tenté, pero se negó. Seguramente es uno de los verdaderos".

Confirmó lo que dijo, no por miedo al rey o a las otras damas, sino para que Yusuf$^{(A.S)}$ supiera que nunca lo había traicionado durante su ausencia, ya que aún estaba en su mente y en su alma. De toda la creación, él era el único al que ella amaba, así que confirmó su inocencia ante todos.

Los versos del Corán reflejan que ella se había convertido a la religión del Profeta, el monoteísmo. Su encarcelamiento fue un punto de inflexión significativo en su vida. Después de esto, la historia de la esposa del ministro principal no se menciona en el Corán. No sabemos lo que le sucedió después de que ella dio una clara evidencia. Sin embargo, todavía hay leyendas sobre ella. Algunos dicen que después de la muerte de su marido, se casó con Yusuf$^{(A.S)}$, y he aquí que era virgen. Confesó que su marido era viejo y que nunca había tocado mujeres. Otras leyendas dicen que perdió la vista, llorando por Yusuf$^{(A.S)}$. Abandonó su palacio y vagó por las calles de la ciudad.

"La verdad ha llegado y la falsedad se ha desvanecido. ¡Seguramente, la falsedad está destinada a desaparecer!"

ALÁ ELEVÓ A YUSUF A LA GLORIA

El rey informó a Yusuf$^{(A.S)}$ que su inocencia había sido establecida y le ordenó venir al palacio para una entrevista. El rey reconoció sus nobles cualidades. Cuando Yusuf$^{(A.S)}$ vino, el rey se quedó atónito por este apuesto joven. Sin embargo, el rey le habló en su lengua. Las respuestas de Yusuf$^{(A.S)}$ asombraron al rey con su refinamiento cultural y sus amplios conocimientos. Estaba convencido de que Yusuf$^{(A.S)}$ era muy inteligente.

Entonces la conversación se convirtió en un sueño. Yusuf$^{(A.S)}$ aconsejó al rey que empezara a planificar los años de hambruna que se avecinaban. Le informó que la hambruna no sólo afectaría a Egipto sino también a los países vecinos. El rey le ofreció una posición influyente pero Yusuf$^{(A.S)}$ pidió que lo nombraran controlador de los graneros para poder vigilar la cosecha de la nación y así salvaguardarla durante la esperada sequía. Con esto, Yusuf$^{(A.S)}$ no quería aprovechar una oportunidad o beneficio personal; simplemente quería rescatar a las naciones hambrientas por un período de siete años. Fue un puro sacrificio de su parte.

Otorgamos Nuestra Misericordia a quien nos place, y hacemos que no se pierda la recompensa de Al-Muhsinen (los hacedores del bien)". [Surah Yusuf: 56]

Las ruedas del tiempo giraron, Yusuf$^{(A.S)}$ se había convertido en uno de los funcionarios más importantes de Egipto. Durante los siete maravillosos años, Yusuf$^{(A.S)}$ tuvo un control total sobre el cultivo, la cosecha y el almacenamiento de las cosechas. Cumplió con sus deberes fielmente y se las arregló para guardar cuidadosamente los granos para los duros años venideros.

Luego, como había predicho el Profeta Yusuf$^{(A.S)}$, se produjo una sequía y la hambruna se extendió por toda la región, incluyendo Canaán, la tierra natal de Yusuf$^{(A.S)}$. Las hojas se volvieron amarillas y no cayó ni una sola gota de lluvia del cielo. Pero nadie en Egipto murió de hambre porque el Profeta había guardado más que suficientes granos para los duros años.

"Tenías razón, Yusuf", le dijo el rey al Profeta. "Es sólo por ti que nuestro pueblo no está sufriendo. Pero todos nuestros vecinos están pidiendo nuestra ayuda. ¿Qué debo decirles?" Preguntó.

"Alá$^{(S.W.T)}$ nos salvó." El Profeta respondió: "Tenemos la bendición de tener muchos granos con nosotros. Creo que este es el momento en que debemos ayudar a nuestros vecinos. Deberíamos vender los granos a las naciones necesitadas a un precio justo. De esta manera, podemos salvar muchas vidas".

El rey estuvo de acuerdo y la deliciosa noticia se extendió por toda la región.

Como esta hambruna también afectó a Canaán. El Profeta Yaqoob$^{(A.S)}$ envió diez de sus hijos, todos excepto Binyamin, a Egipto para comprar provisiones. Los hermanos viajaron durante muchos días y finalmente llegaron a Egipto.

Yusuf$^{(A.S)}$ oyó hablar de los diez hermanos que habían venido de lejos y que no podían hablar el idioma de los egipcios. Cuando le llamaron para comprar sus necesidades, Yusuf$^{(A.S)}$ reconoció inmediatamente a sus hermanos, pero ellos no lo reconocieron. ¿Cómo podrían hacerlo? Para ellos, Yusuf$^{(A.S)}$ ya no existía; ¡lo habían arrojado al pozo profundo y oscuro hace muchos años!

Yusuf$^{(A.S)}$ los recibió calurosamente. Después de suministrarles provisiones, preguntó de dónde habían venido.

Me lo explicaron: "Venimos de Canaán. Somos once hermanos, hijos de un noble profeta. El más joven está en casa atendiendo las necesidades de nuestro anciano padre".

Al oír esto, los ojos de Yusuf$^{(A.S)}$ se llenaron de lágrimas; su anhelo de hogar se hinchó en su corazón, así como su anhelo por sus amados padres y su amado hermano Binyamin.

"¿Son ustedes personas sinceras?" Yusuf$^{(A.S)}$ les preguntó.

Perturbados respondieron: "¿Qué razones tenemos para mentirle?"

"Si lo que dices es cierto, trae a tu hermano como prueba y te recompensaré con raciones dobles. Pero si no me lo traes, sería mejor que no regresaras", les advirtió Yusuf$^{(A.S)}$.

Le aseguraron que cumplirían con gusto su orden pero que tendrían que obtener el permiso de su padre. Como incentivo para regresar con su hermano, Yusuf$^{(A.S)}$ ordenó a su sirviente que pusiera en secreto la bolsa de dinero que habían pagado, en uno de sus sacos de grano.

Después de muchos días de viaje, llegaron a Canaán. Antes de que pudieran descargar los camellos, saludaron a su padre, y luego lo criticaron: "Nos negaron algunas provisiones porque no dejaste que tu hijo fuera con nosotros. No nos dieron comida para los ausentes. ¿Por qué no le confiaste a él? Por favor, envíalo con nosotros, y nosotros lo cuidaremos".

El Profeta Yaqoob(A.S) se puso triste y les dijo: "No permitiré que Binyamin viaje con ustedes. No me separaré de él, porque te confié a Yusuf y me fallaste".

Más tarde, cuando abrieron sus sacos de grano, se sorprendieron al encontrar la bolsa de dinero devuelta intacta. Corrieron hacia su padre;

"¡Mira, padre! El noble funcionario nos ha devuelto nuestro dinero; esto es una prueba segura de que no dañaría a nuestro hermano y sólo puede beneficiarnos." Pero Yaqoob(A.S) se negó a enviar a Binyamin con ellos.

Después de algún tiempo, cuando no tenían más grano, Yaqoob(A.S) les pidió que viajaran a Egipto por más. Le recordaron la advertencia que el oficial egipcio les había dado. No podían regresar sin Binyamin.

"No lo enviaré contigo a menos que me des un compromiso en nombre de Alá de que lo traerás de vuelta a mí tan seguro como lo llevas."

Así que dieron su sincera promesa.

Yaqoob(A.S) les recordó: "Alá(S.W.T) es testigo de tu promesa."

Estuvo de acuerdo, y luego les aconsejó que entraran en la ciudad por varias puertas diferentes. Yaqoob(A.S) los bendijo en su salida y rezó a Alá por su protección. Los hermanos emprendieron el largo viaje a Egipto, cuidando bien de Binyamin.

LA INTERPRETACIÓN DEL SUEÑO EN LA REALIDAD

Cuando llegaron a Egipto, Yusuf(A.S) les dio una calurosa bienvenida y suprimió el deseo de abrazar a Binyamin que surgió en su interior. Les preparó un banquete y los sentó en parejas. Yusuf(A.S) se dispuso a sentarse junto a su amado hermano Binyamin, que comenzó a llorar.

"¿Por qué estás llorando?" Yusuf(A.S) le preguntó.

Él respondió: "Si mi hermano Yusuf hubiera estado aquí, me habría sentado a su lado."

Esa noche, cuando Yusuf(A.S) y Binyamin estaban solos en una habitación, Yusuf(A.S) le preguntó a su hermano,

"¿Te gustaría tenerme como tu hermano?"

Binyamin respondió respetuosamente que consideraba a su anfitrión una persona maravillosa, pero que nunca podría sustituir a su hermano.

Yusuf$^{(A.S)}$ se quebró, y entre lágrimas que fluían dijo: "Mi querido hermano, soy tu hermano que se perdió y cuyo nombre estás repitiendo constantemente. El destino nos ha unido después de muchos años de separación. Este es el favor de Alá. Pero que sea un secreto entre nosotros por el momento". Binyamin arrojó sus brazos alrededor de Yusuf$^{(A.S)}$ y ambos hermanos derramaron lágrimas de alegría.

Al día siguiente, mientras sus bolsas se llenaban de granos para cargarlos en los camellos, Yusuf$^{(A.S)}$ ordenó a uno de sus ayudantes que colocara la copa de oro del rey en la alforja de Binyamin. Cuando los hermanos estaban listos para partir, los soldados vinieron corriendo hacia ellos. Las puertas estaban cerradas y un soldado gritó,

"¡Oh, viajeros, deténganse ahí! ¡Son ladrones!"

La acusación fue muy inusual, y la gente se reunió a su alrededor.

"¿Qué has perdido?", preguntaron sus hermanos.

"La copa de oro del rey. A quien pueda rastrearla, le daremos una bestia cargada de grano", dijo un soldado.

Los hermanos dijeron con toda inocencia: "No hemos venido aquí a corromper la tierra y a robar".

Uno de los soldados dijo (como Yusuf$^{(A.S)}$ les había instruido): "¿Qué castigo deberías elegir para el ladrón?"

Los hermanos respondieron: "Según nuestra ley, quien roba se convierte en esclavo del dueño de la propiedad."

Los oficiales acordaron: "Entonces aplicaremos su ley en lugar de la ley egipcia, que establece el encarcelamiento".

El oficial en jefe ordenó a sus soldados que empezaran a registrar la caravana. Yusuf$^{(A.S)}$ estaba observando el incidente desde lo alto de su trono. Había dado instrucciones para que la bolsa de Binyamin fuera la última en ser registrada. Cuando no encontraron la copa en las bolsas de los diez hermanos mayores, los hermanos suspiraron de alivio. Sólo quedaba la bolsa de su hermano menor.

Yusuf$^{(A.S)}$ dijo, interviniendo por primera vez, "No había necesidad de registrar su silla ya que no parecía un ladrón".

"No nos moveremos ni un centímetro a menos que su silla sea registrada también. Somos los hijos de un noble, no ladrones", afirmaron sus hermanos.

Los soldados metieron la mano en sus bolsas y sacaron la copa del rey. Los hermanos exclamaron,

"Si roba ahora, un hermano suyo ya ha robado antes." Se desviaron de la presente cuestión para culpar a un grupo particular de los niños de Yaqoob$^{(A.S)}$.

El profeta Yusuf$^{(A.S)}$ escuchó su odio con sus propios oídos y se llenó de arrepentimiento. Sin embargo, se tragó su ira, manteniéndola dentro. Se dijo a sí mismo, "Fuiste más lejos e hiciste algo peor; irá mal contigo y peor en el futuro, y Alá sabe tu intención."

El silencio cayó sobre ellos después de estos comentarios de los hermanos. Luego olvidaron su satisfacción secreta y pensaron en el Profeta Yaqoob(A.S); habían jurado con él que no traicionarían a su hijo. Comenzaron a rogarle a Yusuf(A.S) por misericordia.

"Yusuf, oh ministro! Tome uno de nosotros en su lugar. ¡Oh, gobernante de la tierra! En verdad, tiene un padre anciano que se afligirá por él. Es el hijo de un buen hombre, y podemos ver que tú también eres un hombre honorable."

Yusuf(A.S) respondió con calma: "¿Cómo puedes querer liberar al hombre que ha robado la copa del rey? Sería pecaminoso".

Los hermanos siguieron suplicando clemencia. Sin embargo, los guardias dijeron que el rey había hablado y que su palabra era ley.

Así que, cuando se desesperaron por él, dieron una conferencia en privado. Judá, el mayor, estaba muy preocupado y se lo dijo a los demás,

"Prometimos a nuestro padre en nombre de Alá que no le fallaríamos. Por lo tanto, me quedaré atrás y sólo volveré si mi padre me lo permite."

Los hermanos dejaron suficientes provisiones para Judá, que se quedó en una taberna esperando el destino de Binyamin. Mientras tanto, Yusuf(A.S) mantuvo a Binyamin en su casa como su huésped personal y le contó cómo había ideado el plan para poner la copa del rey en su bolsa, para mantenerlo atrás y protegerlo. También se alegró de que Judá se hubiera quedado atrás, ya que era un hermano de buen corazón. Yusuf(A.S) se las arregló en secreto para vigilar el bienestar de Judá.

El plan de Yusuf(A.S) para enviar a los otros de vuelta, era probar su sinceridad. Para ver si volverían por los dos hermanos que habían dejado atrás.

Cuando llegaron a casa, se encontraron con la llamada de su padre,

"¡Oh, padre nuestro! ¡Tu hijo ha robado!"

El profeta Yaqoob(A.S) estaba desconcertado, apenas creyendo la noticia. Entonces, los hermanos le contaron todo. Estaba abrumado por el dolor y sus ojos lloraban lágrimas.

"Ten paciencia conmigo; tal vez Alá(S.W.T) me los devuelva todos. Él es el más sabio, el más sabio".

La soledad lo rodeaba, pero encontró consuelo en la paciencia y confió en Alá. Estaba profundamente herido. Sólo la oración podía consolarlo y fortalecer su fe y su paciencia. Llorando todos esos años por su amado hijo Yusuf(A.S); y ahora uno más de sus mejores hijos le había sido arrebatado. Yaqoob(A.S) casi pierde la vista llorando por esta pérdida.

Los otros hijos le suplicaron: "Oh padre, eres un noble profeta y un gran mensajero de Alá. Las revelaciones descendieron sobre ti, y la gente recibió guía y fe de ti. ¿Por qué te destruyes de esta manera?"

Él respondió: "Reprenderme no disminuirá mi dolor. Sólo el regreso de mis hijos me consolará. Hijos míos, id en busca de Yusuf y su hermano; no desesperéis de la misericordia de Alá".

Alá, el Todopoderoso nos lo dijo: Ellos dijeron: "¡Por Alá! No dejarás de recordar a Yusuf hasta que te debilites con la vejez, o hasta que seas de los muertos."

Dijo: "Sólo me quejo de mi dolor y pena a Alá, y sé por Alá lo que vosotros no sabéis".

El Profeta Yaqoob^(A.S) pidió a sus hijos que fueran a Egipto una vez más. La caravana partió hacia Egipto. Los hermanos - en su camino para ver al ministro principal (el Profeta Yusuf^(A.S)) - se empobrecieron y se deprimieron.

Al final, suplicaron a Yusuf^(A.S). Le pidieron caridad, apelando a su corazón, recordándole que Alá recompensa a los que dan caridad. En ese momento, en medio de su difícil situación, el Profeta Yusuf les habló en su lengua materna.

"¿Sabes lo que hiciste con Yusuf y su hermano cuando eras ignorante?"

Los hermanos se sorprendieron al escuchar esto. Como sabían que este secreto sólo lo conocen ellos y Yusuf^(A.S).

Dijeron: "¿Eres nuestro hermano Yusuf?"

Dijo: "Soy Yusuf. Y Binyamin es mi hermano. Alá ha sido muy misericordioso con nosotros. Quien teme a Alá y es paciente, seguramente Alá siempre le recompensa".

Los hermanos temblaban de miedo.

"Hemos pecado, Hermano. Alá ciertamente te ha preferido a ti por encima de nosotros." Ellos dijeron.

Pero Yusuf^(A.S) los consoló. "No hay reproches para ti este día. Que Alá os perdone, y Él es el más misericordioso de los que muestran misericordia".

Yusuf^(A.S) los abrazó y lloraron juntos con alegría. Yusuf^(A.S) no podía dejar su puesto de responsabilidad sin un reemplazo adecuado, así que aconsejó a sus hermanos. "Vayan con esta camisa mía, y acarícienla sobre el rostro de mi padre, él recuperará la vista. Y tráeme a toda tu familia".

Los hermanos aceptaron y se fueron a Canaán. Al acercarse a Canaán, el profeta Yaqoob^(A.S) sintió el olor de Yusuf^(A.S) en el aire. Se levantó de repente, se vistió y fue a encontrarse con sus hijos.

La esposa del hijo mayor comentó: "Yaqoob^(A.S) ha salido hoy de su habitación." Las mujeres preguntaron sobre lo que estaba mal. Había una pizca de sonrisa en su cara.

Los otros le preguntaron: "¿Cómo te sientes hoy?"

Él respondió: "Puedo oler a Yusuf en el aire".

Las esposas lo dejaron solo, diciéndose que no había esperanza para él. "Morirá llorando por Yusuf".

"¿Habló de la camisa de Yusuf?"

"No lo sé. Dijo que podía olerlo; tal vez se ha vuelto loco."

Esa noche, el viejo quería una taza de leche para romper su ayuno, porque había estado ayunando. Mientras la caravana se acercaba, el Profeta seguía rezando a Alá. Cuando la caravana finalmente llegó, el Profeta Yaqoob^(A.S) salió y preguntó: "Realmente siento el olor de Yusuf". ¿Es real?"

"Ciertamente está equivocado." Dijo una esposa.

Pero el Profeta estaba diciendo la verdad. El portador de las buenas nuevas llegó. Uno de sus hijos le acarició la camisa en la cara y Yaqoob^(A.S) se volvió perspicaz.

"¿No te dije que sé por Alá que no lo sabes?" Les dijo felizmente.

Los hermanos se habían dado cuenta de sus errores. Le preguntaron al Profeta Yaqoob^(A.S),

"Hemos pecado, Padre. Pídele perdón a Alá por nuestros pecados".

Dijo: "Pediré a mi Señor perdón por ti, de verdad, Él! Sólo Él es el más indulgente, el más misericordioso".

Luego, el profeta Yaqoob^(A.S) partió a Egipto para encontrarse con su hijo. El profeta Yusuf^(A.S) lo recibió con gran alegría. Puso a su padre en su trono. La felicidad de Yaqoob^(A.S) no tenía límites. Entonces sus padres y los once hermanos se postraron ante el profeta Yusuf.

"Este es el sueño que vi cuando era joven. Vi once estrellas, el sol y la luna, inclinándose ante mí. Mi Señor lo ha hecho realidad."

El profeta Yusuf^(A.S) concertó una audiencia con el rey para él y su familia, para pedirle permiso al rey para que se establecieran en Egipto. Él era un activo para el reino, y el rey estaba feliz de que se quedara con su familia. Luego se postró ante Alá^(S.W.T) en agradecimiento. Este poder dominante y responsabilidad no distrajo al Profeta de Alá. Recordaba a su creador y benefactor todo el tiempo.

El profeta Yusuf^(A.S) no quería morir la muerte de un rey. No le gustaba estar reunido alrededor de la gente de la realeza. Quería morir la muerte de un esclavo de Alá y ser reunido alrededor de la gente justa. En el momento de su muerte, pidió a sus hermanos que lo enterraran junto a sus antepasados. Así que, cuando falleció, fue momificado y colocado en un ataúd hasta el momento adecuado para ser sacado de Egipto. Se dice que murió a la edad de ciento diez años.

Por lo tanto, se narró que se le pidió al Mensajero de Ala Muhammad ^(S.A.W.W): "¿Quién es el más honorable entre la gente?" Él respondió: "El más temeroso de Dios". La gente dijo: "No queremos preguntarle sobre esto." Él dijo: "La persona más honorable es Yusuf, el profeta de Alá, el hijo del profeta de Alá, el hijo del fiel amigo de Alá (es decir, Ibrahim)". (Sahih Al-Bukhari)

Profeta Yunus

(La paz sea con él)

El Dueño del Pez

Hace mucho tiempo, había una ciudad llamada 'Nineveh'. Estaba situada en la orilla derecha del río Tigris en la antigua Asiria, al otro lado del río de la actual ciudad principal de Mosul, Irak. La gente de Nínive era idólatra y vivía una vida desvergonzada. El profeta Yunus (Jonás)$^{(A.S)}$ fue enviado por Alá$^{(S.W.T)}$ a Nínive para predicarles sobre el verdadero Dios.

"Sólo debes creer en Alá y obedecer sus órdenes". Les advirtió, "De lo contrario, un severo castigo caerá sobre ti".

Pero a los habitantes del pueblo no les gustaba que nadie interfiriera en su forma de adoración.

"Nosotros y nuestros antepasados hemos adorado a estos dioses durante muchos años." dijo un anciano, "Y no nos ha pasado nada".

El profeta Yunus$^{(A.S)}$ trató de convencer a la gente sobre Alá$^{(S.W.T)}$, pero la gente lo ignoró. Advirtió que si seguían con sus tonterías, Alá pronto los castigará.

En lugar de temer a Alá, le dijeron al profeta que no temían sus amenazas.

"¡Deja que tu Dios nos castigue!" Le dijeron.

El Profeta se descorazonó: "En ese caso, te dejaré en tu miseria". Diciendo que dejó el pueblo de Nínive. Se impacientó y se fue sin esperar más órdenes de Alá. Sabía que Dios debía estar enfadado con él. Así que decidió viajar a una tierra lejana.

Tan pronto como el Profeta dejó la ciudad, los cielos comenzaron a cambiar de color. Parecía que estaba en llamas. La gente se llenó de miedo al verlo. Recordaron la destrucción de la gente de A'ad, Thamud y Nuh. Lentamente, la fe comenzó a penetrar en sus corazones.

Se reunieron en la cima de una montaña y comenzaron a rezar a Alá por su misericordia. Las montañas resonaban con sus gritos. La gente de Nínive se arrepintió sinceramente de los pecados que habían cometido. Cuando Alá escuchó sus oraciones, decidió no castigarlos. Derramó su bendición sobre la gente una vez más. Cuando la gente se dio cuenta de que se habían salvado, rezaron a Alá por el regreso del Profeta Yunus$^{(A.S)}$, para que él pudiera guiarlos.

Mientras tanto, el Profeta Yunus$^{(A.S)}$ había abordado un pequeño barco en compañía de otros pasajeros. Navegó todo el día en aguas tranquilas, con un buen viento que soplaba a las velas. Pero al llegar la noche, el mar cambió repentinamente. Hubo una horrible tormenta, y parecía que el barco se iba a partir en pedazos. Las olas se elevaron tan altas como las montañas, arrojando el barco de arriba a abajo.

Todos en la nave estaban aterrorizados. El capitán de la nave gritó a la tripulación que aligerara la pesada carga de la nave. La tripulación tiró primero su equipaje por la borda, pero esto no fue suficiente. Su seguridad dependía de que se redujera aún más el peso. Así que decidieron entre ellos que uno de ellos tendría que ser arrojado al mar.

Mientras tanto, una enorme ballena había aparecido detrás del barco. Alá$^{(S.W.T)}$ había ordenado a la ballena que saliera a la superficie. La ballena siguió siguiendo al barco como se le había ordenado.

El capitán del barco le dijo a la tripulación: "Haremos un montón con los nombres de todos los viajeros. Aquel cuyo nombre sea sorteado será arrojado al mar".

Yunus$^{(A.S)}$ tomó parte de mala gana en la sortición, y su nombre fue añadido también. Cuando el lote fue dibujado, el papel tenía escrito "Yunus". Como la tripulación sabía que el Profeta era el hombre más honorable de todos, no quisieron arrojarlo al mar. Por lo tanto, dibujaron un segundo lote.

Cuando lo hicieron por segunda vez, el nombre del Profeta apareció de nuevo. La tripulación decidió intentarlo una última vez y sacó un tercer lote. Pero el nombre del Profeta también apareció durante el tercer y último lote. El Profeta Yunus$^{(A.S)}$ se dio cuenta de que la voluntad especial de Alá$^{(S.W.T)}$ estaba involucrada en lo que estaba pasando. Se dio cuenta de que Alá lo estaba probando porque había abandonado la misión sin el consentimiento de Alá.

Se decidió que el profeta Yunus$^{(A.S)}$ se arrojara al agua. Yunus$^{(A.S)}$ se paró al borde del barco, mirando el mar furioso. Era de noche y no había luna en el cielo. Las estrellas estaban escondidas detrás de una niebla negra. Antes de saltar al mar, el Profeta siguió mencionando el nombre de Alá. Luego saltó al mar y desapareció bajo las vastas olas.

La ballena que seguía al barco, encontró al profeta Yunus$^{(A.S)}$ flotando en las olas. No perdió tiempo y se lo tragó de un solo trago. La ballena cerró sus dientes de marfil como si fueran pernos blancos que cerraban la puerta de su prisión. Luego se sumergió en el fondo del mar. El Profeta se imaginó que estaba muerto, pero sus sentidos se alertaron cuando pensó que podía moverse. Se dio cuenta de que estaba vivo y encarcelado.

En su soledad, empezó a pensar en lo que había pasado en el pueblo y se dio cuenta de que nunca debería haber dejado el pueblo. En cambio, debería haberse quedado y seguir hablando con la gente, pidiéndoles que volvieran a Alá$^{(S.W.T)}$. En su desesperación, el Profeta rezó con todo su corazón a Alá.

"¡Oh Alá! No hay ningún Dios aparte de ti. Sólo a ti te alabo y te honro. He hecho el mal, si no me ayudas, estaré perdido para siempre."

El Profeta continuó rezando a Alá, repitiendo sus oraciones. Peces, ballenas y muchas otras criaturas que vivían en el mar, escucharon la voz de las oraciones del Profeta que venían del estómago de la ballena. Todas estas criaturas se reunieron alrededor de la ballena y alabaron a Alá$^{(S.W.T)}$, cada una en su propio idioma. La ballena también participó en la alabanza a Alá. Entonces entendió que se había tragado a un Profeta. La ballena sintió miedo al principio, y luego se dijo a sí misma: "¿Por qué debería tener miedo? Alá me ordenó que me lo tragara".

Alá Todopoderoso vio el arrepentimiento sincero del Profeta Yunus^(A.S) y decidió salvarlo. Ordenó a la ballena que saliera a la superficie y expulsara al Profeta a la orilla. La ballena obedeció y nadó hasta la superficie del océano. Luego expulsó al Profeta Yunus^(A.S) a una isla remota.

El Profeta estaba muy enfermo ahora por los ácidos del estómago de la ballena. Su piel estaba inflamada, y cuando el sol salía, los rayos quemaban su cuerpo. El Profeta estaba a punto de gritar de dolor, pero soportó el dolor y continuó sus oraciones a Alá. Alá^(S.W.T) hizo crecer un árbol detrás de donde el Profeta Yunus^(A.S) estaba rezando.

Este árbol protegió al Profeta de los duros rayos del sol y también le dio frutos nutritivos. Poco a poco, recuperó su fuerza y encontró el camino de regreso a Nínive.

Se sorprendió gratamente al notar el cambio que se produjo. Toda la población de Nínive se presentó para darle la bienvenida. Le informaron que ahora adoran a Alá, el único Dios verdadero. El Profeta se emocionó al escuchar eso y vivió feliz hasta que falleció.

Profeta Musa

(La paz sea con él)

Una Era de Magia y el Pierce del Mar

El Profeta Musa$^{(A.S)}$ es considerado un profeta, un mensajero y un líder en el Islam. Es el individuo más frecuentemente mencionado en el Corán. El Corán establece que el Profeta Musa$^{(A.S)}$ fue enviado por Alá$^{(S.W.T)}$ al Faraón de Egipto y a los israelitas para guiarlos y advertirlos.

El Profeta Musa$^{(A.S)}$ creció como el príncipe. Los faraones que gobernaron en Egipto fueron muy crueles con los descendientes del Profeta Yaqoob$^{(A.S)}$. Estos descendientes fueron conocidos como "los hijos de Israel".

EL SUEÑO DEL FARAÓN Y EL NACIMIENTO DE PROFETA MUSA$^{(A.S)}$

Se les mantuvo como esclavos y se les obligó a trabajar por pequeños salarios, y a veces incluso por nada. El faraón quería que los israelitas le obedecieran sólo a él y adoraran sólo a sus dioses. De esta manera muchas dinastías llegaron a Egipto, y asumieron que eran dioses o su portavoz representativo. Pasaron los años, y un hombre muy cruel llamado Fir'oun era ahora el Faraón. Odiaba mucho a los israelitas. Castigaba a esos israelitas en cada oportunidad que se le presentaba. Odiaba verlos multiplicarse y prosperar en su reino. Una noche, cuando el faraón dormía, tuvo un sueño. En su sueño, vio que una enorme bola de fuego venía del cielo y quemaba la ciudad. El fuego quemó las casas de todos los egipcios, pero las casas de los israelitas permanecieron intactas. Eso horrorizó al faraón. No entendía lo que significaba el sueño. Así que, al día siguiente, llamó a sus sacerdotes y magos. Les preguntó sobre el sueño que había tenido.

El sacerdote le dijo: "Esto significa que un niño nacerá muy pronto para los israelitas. Los egipcios perecerán a manos de este niño".

El Faraón se puso furioso. Ordenó matar a todos los niños varones nacidos de los israelitas. La orden del faraón se cumplió, y los soldados empezaron a matar a todos los niños nacidos de los israelitas. Fue durante ese tiempo que nació el Profeta Musa$^{(A.S)}$. El Profeta nació en una familia israelita pobre, y tenía un hermano mayor llamado Haroon$^{(A.S)}$, y una hermana también. Alá$^{(S.W.T)}$ tenía un plan para el profeta. Ordenó a su madre que lo pusiera en una cesta y le permitiera flotar río abajo en el gran río Nilo.

Su madre hizo lo que le dijeron, y lo dejó flotar en el río. Su corazón se afligió por su hijo. Pero, ella sabía que Alá$^{(S.W.T)}$ se preocupaba por su hijo, y sabía que no le haría daño. Mientras la cesta se alejaba flotando, le pidió a su hija que siguiera la cesta río abajo, y se asegurara de que su hijo no sufriera ningún daño. La cesta flotó en el río durante mucho tiempo, y la hermana del Profeta siguió la cesta como su madre le había indicado.

Alá$^{(S.W.T)}$ estaba guiando la cesta y después de flotar en el río Nilo durante algún tiempo, la cesta entró en un pequeño arroyo. La esposa del faraón se bañaba en ese arroyo, y cuando vio la cesta, pidió a sus sirvientes que la trajeran a tierra. Cuando vio al bebé, se enamoró de él. La esposa del Faraón era muy diferente del Faraón. Era una creyente, y también era misericordiosa. Anhelaba un niño, así que cuando vio al bebé, lo abrazó y lo besó. Sorprendió al Faraón cuando vio a su esposa abrazando y besando al bebé. Se sorprendió al verla llorar con una alegría que nunca antes había visto.

"Déjame tener este bebé, y que sea un hijo para nosotros", pidió a su marido.

El Faraón no pudo rechazarla, y decidieron adoptar al bebé. Después de un tiempo, el bebé empezó a tener hambre y empezó a llorar. La Reina llamó a algunas nodrizas para alimentar al bebé, pero él se negó a tomar su leche materna. Fue entonces cuando los soldados llevaron a la hermana a la Reina.

"Esta chica estaba siguiendo la cesta". Le dijeron.

Entonces la hermana respondió: "Sólo seguía la cesta por curiosidad, su alteza".

Cuando vio a su hermano llorando, se preocupó. Ella lo soltó.

"Conozco a alguien que puede alimentarlo". La Reina estuvo de acuerdo, y ordenó a los soldados que trajeran a la mujer de la que la niña estaba hablando. La hermana del Profeta entonces trajo a la madre, y ella comenzó a alimentarlo. Cuando la niña fue puesta en su pecho, él inmediatamente comenzó a amamantar. El faraón que estaba observando todo esto se asombró y preguntó: "¿Quién eres? Este niño se ha negado a tomar otro pecho que no sea el tuyo".

La madre del Profeta sabía que si les decía la verdad, los matarían inmediatamente. Así que les dijo: "Soy una mujer de dulce leche y dulce aroma. Por eso ningún niño me rechaza". Su respuesta satisfizo al Faraón, y la nombraron su enfermera.

JUICIO DEL PRÍNCIPE DE EGIPTO AL TRABAJADOR DE MIDIAN

Musa$^{(A.S)}$ creció en el palacio como un príncipe. Alá le concedió buena salud, fuerza, conocimiento y sabiduría. Tenía un corazón bondadoso, así que los débiles y oprimidos a menudo acudían a él en busca de ayuda. Un día, mientras caminaba por la ciudad, vio a un soldado egipcio golpeando a un israelita. Cuando el israelita vio al profeta, le rogó que le ayudara. El profeta decidió ayudar al pobre hombre y le pidió al soldado que dejara de golpear al israelita. El soldado cuestionó su autoridad y dijo algo que enfureció al profeta. El Profeta primero trató de razonar con el soldado pero no estaba dispuesto a escuchar. Entonces el profeta se adelantó y golpeó al soldado con un golpe tan poderoso que se desplomó y murió. Cuando se dio cuenta de lo que había hecho, un sudor frío brotó de su frente.

Se dijo a sí mismo, "Este es el trabajo malvado de Shaitaan. Me engañó."

El Profeta sabía que era un pecado matar a alguien hasta que fuera juzgado y declarado culpable. Se arrodilló en el suelo y rezó a Alá,

"¡Oh, mi Señor! En efecto, he agraviado a mi alma. Por favor, perdóneme."

Al día siguiente, vio al mismo israelita luchando con otro hombre. El Profeta ayudó a los más débiles, y dijo: "Parece que estás involucrado en peleas todos los días con uno u otro".

El israelita se asustó y dijo: "Lo siento mucho. Por favor, no me mates como mataste a un soldado ayer".

El egipcio con el que el israelita estaba luchando, escuchó las observaciones y lo comunicó a las autoridades. Al día siguiente, cuando Musa$^{(A.S)}$ caminaba por la ciudad, un hombre vino corriendo hacia él.

"¡Musa! Los soldados vienen a arrestarte. Escapa mientras aún hay tiempo", dijo el hombre.

El Profeta sabía que la pena por matar a un egipcio era la muerte, así que decidió dejar Egipto. El Profeta salió de Egipto a toda prisa. Ni siquiera se molestó en cambiarse de ropa. No estaba preparado para viajar, así que no tenía un animal para montar, ni tampoco una caravana. Se había ido tan pronto como el hombre le advirtió.

El Profeta Musa$^{(A.S)}$ vagó por el desierto durante muchos días y noches. Viajó en dirección a Midian, que era la ciudad más cercana entre Siria y Egipto. Su único compañero en el desierto era Alá, y su única provisión era la piedad. La arena abrasadora quemaba las plantas de sus pies, pero temiendo ser perseguido por los soldados, se obligó a seguir caminando. Caminó durante ocho días y noches en esta condición. El Profeta finalmente logró cruzar el desierto, y llegó a las afueras de Midian. Después de caminar un poco más, llegó a un abrevadero en las afueras de la ciudad. Tan pronto como llegó al manantial, se arrojó bajo un árbol para descansar un rato. Mientras recuperaba el aliento, vio a dos mujeres paradas junto a sus ovejas. Estaban de pie a lo lejos, dudando en acercarse a la multitud. El Profeta sintió que la mujer necesitaba ayuda. Así que siendo un hombre de honor, ignoró su impulso y se dirigió a ellas.

"¿Puedo ayudarte de alguna manera? ¿Por qué te haces a un lado?" les preguntó.

Entonces la hermana mayor respondió: "Estamos esperando a que los hombres terminen de regar sus ovejas".

"¿A qué esperas?" les preguntó otra vez.

"Estamos indefensos", dijeron.

"Nuestro padre es muy viejo, y no tiene la fuerza para enfrentarse a esta multitud. Si seguimos adelante, estos hombres fuertes nos harán a un lado. Así que, cuando esta gente termine, entonces llevaremos nuestros animales al agua. Es nuestra rutina diaria", explicaron.

El Profeta llevó las ovejas de las mujeres al pozo de agua donde fácilmente se metió entre los hombres. Cuando se acercó al agua, vio que los pastores habían puesto la gran roca para cubrir el pozo. El Profeta levantó la roca con una sola mano y dejó que los animales bebieran. La gente que estaba allí de pie se asombró cuando le vieron levantar la piedra con una sola mano. Luego volvió a sentarse a la sombra del árbol. Fue entonces cuando se dio cuenta de que se había olvidado de beber.

"¡Oh Señor!" rezó, "Cualquier bien que puedas concederme, seguramente lo necesito ahora."

Cuando sus hijas volvieron a casa más temprano que de costumbre, sorprendió a su padre. Las hijas explicaron lo que pasó en el Oasis, y por qué llegaron antes. Su padre quería agradecer al extraño, así que envió a una de sus hijas a invitar al extraño a su casa. Una de las hijas regresó al profeta y le dijo, "Mi padre quiere recompensarte por tu amabilidad, y te invita a nuestra casa". Él accedió y acompañó a la doncella hasta su padre.

Cuando llegaron a la casa, el Profeta se presentó y le contó la historia de su vida. Luego les dijo por qué tuvo que huir de Egipto. El anciano le consoló: "Agradece a Alá que hayas logrado escapar de esos tiranos. No tienes que tener miedo ahora".

Al viejo y a sus hijas les gustó mucho el comportamiento amable del profeta. Lo invitaron a quedarse con ellos por unos días, y el profeta estuvo más que feliz de aceptar su invitación. El anfitrión pronto se dio cuenta de que el profeta era un hombre de confianza.

Un día, el viejo se le acercó y le dijo: "Quiero casarte con una de mis hijas".

El Profeta se alegró de oír esto.

"Pero con una condición", añadió el viejo. "Debes aceptar trabajar para mí por un período de ocho años."

El Profeta Musa[A.S] era un extraño en una tierra extraña. Exhausto y solo, esta oferta le convenía mucho. Se casó con la hija del madianita y cuidó de sus animales durante diez largos años. El tiempo pasó y se mantuvo alejado de su familia y de su gente. Este período de diez años fue muy importante para el profeta. Fue un tiempo de gran preparación. Musa[A.S] completó diez años de su servicio como había prometido.

EL MONTE TUR Y LA REVELACIÓN DE ALLAH

Un día, de repente se vio abrumado por la nostalgia. Empezó a extrañar a su familia y a la tierra de Egipto. Quería desesperadamente volver a Egipto. Esa noche, fue a su esposa y le dijo: "Partiremos a Egipto mañana".

Su esposa estuvo de acuerdo, y comenzaron a empacar sus pertenencias. Musa[A.S] dejó Midian con su familia y viajó por el desierto. Viajaron durante muchos días y finalmente llegaron cerca del Monte Sinaí.

"Creo que hemos perdido el camino", dijo el Profeta.

Musa[A.S] no estaba seguro, así que decidió acampar allí por la noche. Luego salió en busca de leña para encender un fuego. Siguió buscando y llegó al monte Tur. Mientras caminaba, notó un fuego que ardía en la cima de la montaña. Musa[A.S] caminó hacia el fuego, y mientras lo hacía, escuchó una voz.

"¡Oh Musa! Yo soy Alá, el Señor del Universo." dijo la voz.

El Profeta Musa$^{(A.S)}$ se dio cuenta de que en realidad era Dios quien le hablaba, así que caminó hacia el fuego. Alá$^{(S.W.T)}$ le pidió entonces al profeta que se quitara los zapatos mientras estaba de pie en un suelo sagrado. Dios le reveló entonces que había sido elegido para una misión especial y le pidió que siguiera sus instrucciones.

"¿Y qué es lo que tienes en tu mano derecha?" Alá le preguntó.

"Este es mi personal", respondió. "En el que me apoyo, y con el que derribo las ramas para mis ovejas."

"¡Tira tu bastón!", ordenó la voz. Y tan pronto como el Profeta arrojó el bastón, éste se convirtió en una serpiente que se retorcía. Musa$^{(A.S)}$ estaba tan asustado que empezó a correr.

Pero la voz dijo: "No temas y agarra tu bastón, lo devolveremos a su estado anterior".

El Profeta estaba aterrorizado por la serpiente. Entonces confió en la voz y puso su mano sobre la serpiente. Inmediatamente se transformó de nuevo en una vara.

El miedo a Musa$^{(A.S)}$ disminuyó y fue reemplazado por la paz, ya que se dio cuenta de que en realidad estaba hablando con Dios. A continuación, Alá$^{(S.W.T)}$ le ordenó que metiera la mano dentro de la túnica. El Profeta hizo lo que le ordenó, y cuando sacó la mano, ésta brillaba con fuerza.

Alá le ordenó entonces que fuera a Egipto y se enfrentara al Faraón. Le dijo que el faraón se había vuelto arrogante y estaba reprimiendo a los israelitas. Musa$^{(A.S)}$ temía que fuera arrestado si volvía a Egipto. Así que dijo: "¡Oh Alá! He matado a un hombre entre ellos, y temo que me maten".

Entonces Alá$^{(S.W.T)}$ lo consoló diciendo: "Ve y entrégales este mensaje. Muéstrales el camino de la verdad. Lleva a tu hermano Haroon, para que te ayude. No podrán hacerte ningún daño".

Alá$^{(S.W.T)}$ le aseguró su seguridad y el profeta se convenció.

REUNIÓN DE HERMANOS Y EL PRIMER DESAFÍO A LA ARROGANCIA DEL FARAÓN

El profeta entonces tomó a su familia y partió hacia Egipto. Caminaron durante muchos días, y finalmente, llegaron a Egipto. Cuando llegaron a las afueras de la ciudad, su hermano Haroon$^{(A.S)}$ lo estaba esperando. Haroon$^{(A.S)}$ también era un profeta. Había recibido la visión de Dios, y en la visión, había visto que su hermano menor llegaría pronto para liberar a los israelitas. Cuando Musa$^{(A.S)}$ se dio cuenta de que era su hermano, se puso a llorar. Entonces ambos caminaron hacia el palacio. El profeta no había estado en Egipto durante muchos años, y sabía que su vida estaba en peligro. Nada podría haberlo traído de vuelta excepto la orden de Alá$^{(S.W.T)}$.

El profeta aún podía oír las palabras de Alá sonando en sus oídos: "Ve al faraón y dile que deje a los israelitas salir de la tierra de Egipto".

Musa$^{(A.S)}$ ahora estaba frente al Faraón junto con su hermano. El Profeta le habló al Faraón sobre Alá y su misericordia. Pero el Faraón se negó a escuchar porque se consideraba a sí mismo como un dios. Escuchó el discurso del Profeta con desdén. Pensó que el profeta estaba loco por cuestionar su posición suprema. Cuando el Profeta terminó de entregar el mensaje de Alá, el Faraón levantó la mano y preguntó: "¿Qué quieres?"

"Quiero que envíes a los hijos de Israel con nosotros", respondió el Profeta.

"Los israelitas son mis esclavos. ¿Por qué debería enviarlos contigo?"

"¡No son tus esclavos! Son los esclavos de Alá." Musa respondió.

Esta respuesta enfureció al Faraón. "¿No eres Musa?"

El Profeta sacudió la cabeza y respondió: "Sí".

"Te recogimos del río Nilo y te trajimos, ¿no es así?" preguntó el Faraón. "¿No eres tú el Musa que mató a un hombre egipcio? Eres un fugitivo de la justicia, ¿y cómo te atreves a venir a hablarme?"

El Profeta ignoró su sarcasmo y explicó que mató al egipcio en un accidente. Nunca fue deliberado. Luego informó al faraón que Alá$^{(S.W.T)}$ le había concedido el perdón y que ahora era uno de sus mensajeros.

El Faraón pidió a Musa$^{(A.S)}$ que mostrara una señal para probar que era el mensajero de Dios. El Profeta tiró su bastón al suelo. Se convirtió en una serpiente, deslizándose por el suelo. El Faraón estaba aterrorizado al principio, pero se esforzó por no mostrarlo.

"¡Ja!" dijo el Faraón con arrogancia.

"Tenemos muchos hechiceros en nuestro reino que pueden igualar tu magia."

Se dirigió a sus consejeros: "Estos son dos magos que te despojarán de tus mejores tradiciones y te expulsarán del país con su magia. ¿Qué recomienda?"

Los consejeros le dijeron al Faraón que detuviera a Musa$^{(A.S)}$ y a su hermano mientras convocaban a los magos más inteligentes del país. Entonces ellos también podrían mostrar sus habilidades de magia y convertir palos en serpientes. De esta manera buscaban reducir la influencia de sus milagros en las masas. El Faraón detuvo al Profeta y a su hermano en el palacio. Luego convocó a todos los mejores magos de su reino al palacio. El Faraón les prometió grandes recompensas si su magia era mejor que la del Profeta.

En el día de fiesta habitual, que atrajo a ciudadanos de todo el imperio egipcio, el Faraón organizó un concurso público entre Musa$^{(A.S)}$ y los magos. La gente se acercó en masa como antes cuando se enteraron del mayor concurso jamás realizado entre los muchos magos del Faraón y un solo hombre que afirmaba ser un Profeta. También habían oído hablar de un bebé que una vez había flotado por el río

Nilo en una cesta, aterrizó en los terrenos del palacio del Faraón, se crió como un príncipe y más tarde huyó por matar a un egipcio de un solo golpe.

CONCURSO ENTRE PROFETA MUSA^(A.S) Y LOS MAGOS DE EGIPTO

Llegó el día del concurso y el palacio estaba lleno de gente. Los magos estaban de pie a un lado, y el Profeta Musa^(A.S) y su hermano Haroon^(A.S) estaban frente a ellos. Todos en el palacio se pusieron del lado del Faraón, y el Profeta y su hermano se quedaron solos.

Todos estaban ansiosos y emocionados por ver este gran concurso. Antes de que empezara, Musa^(A.S) se levantó. Había un silencio en la enorme multitud. Musa^(A.S) se dirigió a los magos.

"Os apena si inventáis una mentira contra Alá llamando mágicos a sus milagros y no siendo honestos con el Faraón. Ay de vosotros, si no sabéis la diferencia entre la verdad y la mentira. Alá os destruirá con su castigo, porque quien miente contra Alá fracasa miserablemente".

Musa^(A.S) había hablado con sinceridad e hizo pensar a los magos. Pero estaban abrumados por su codicia de dinero y gloria. Esperaban impresionar a la gente con su magia y exponer a Musa como un fraude y un tramposo.

Musa^(A.S) pidió a los magos que actuaran primero. Se dice que había más de setenta magos alineados en una fila. Los magos tiraron sus palos y túnicas, y de repente el suelo se inundó con un mar de serpientes. Se retorcían y se deslizaban por todas partes. El Faraón y sus hombres aplaudieron con fuerza. Sorprendió a la multitud cuando vieron esto, y pensaron que el Profeta nunca iba a vencer a una magia tan poderosa.

Musa también tenía miedo, pero sabía que Alá estaba de su lado. El Profeta tiró su bastón al suelo, y de repente se transformó en una serpiente gigante. La gente se puso de pie, levantando sus cuellos para tener una mejor vista. El Faraón y sus hombres se sentaron en silencio mientras la serpiente se comía una a una a todas las otras pequeñas que estaban en el suelo. Musa se inclinó para recogerla y se convirtió en un bastón en su mano.

Cuando la multitud vio esto, se puso de pie como una ola que animaba al Profeta. Una maravilla como esta nunca había sido vista antes. Los magos se sorprendieron y supieron que esto no era sólo un truco y que la serpiente era real. Se dieron cuenta de que Musa^(A.S) no era un mago o un hechicero y que su poder provenía de algo más grande. Así que cayeron de rodillas buscando el perdón de Alá. Alá los perdonó pero el Faraón se puso furioso.

"¿Cómo puedes creer en su Dios antes de que te dé mi permiso?", les preguntó enfadado.

Los magos respondieron: "Haz lo que quieras, pero tememos el castigo de Alá mucho más que tú".

El Faraón se enojó cuando escuchó esto. Ahora se dio cuenta de que tenía un problema, ya que el Profeta seguía pidiéndole que liberara a los israelitas. Construyó su reino sobre el miedo de los israelitas y todos le creyeron un dios. Ahora le preocupaba que su reino estuviera a punto de ser deshecho.

EL CASTIGO DE ALÁ A LOS EGIPCIOS

Después de la contienda, el Faraón se sintió amenazado por Musa^(A.S) pero se volvió más arrogante. Convocó a todos los ministros y líderes para una reunión seria.

"¿Soy un mentiroso, O Haman?" Abrió la sesión con esta pregunta.

Hamán se levantó y preguntó: "¿Quién se atrevió a acusarte de mentir?"

"¿No dijo Musa que hay un Señor en el cielo?"

"Musa está mintiendo", dijo Haman.

El faraón ordenó entonces matar y torturar a todos los que siguieron al Profeta. Los soldados comenzaron entonces a torturar a los israelitas. Mataron a los hombres, y ni siquiera los bebés se salvaron. Encerraron a cualquiera que se atreviera a oponerse a ellos. El Profeta observaba impotente sus horribles actos. Le pidió a la gente que fuera paciente y tuviera fe en Alá^(S.W.T).

Alá ordenó a Musa^(A.S) que advirtiera al Faraón que él y los egipcios sufrirían un severo castigo si los hijos de Israel no eran liberados. El Profeta fue a encontrarse con el Faraón otra vez. Luego hizo otra demanda para liberar a los israelitas, pero el Faraón se negó. Fue entonces cuando Dios afligió a Egipto con una severa sequía. Incluso los exuberantes, verdes y fértiles valles del Nilo comenzaron a marchitarse y a morir. Las cosechas fracasaron y los animales murieron. Incluso mientras los egipcios sufrían a causa de la hambruna, el Faraón se negó a obedecer y permaneció arrogante. Entonces Dios envió una gran inundación para devastar la tierra de Egipto. Ahogó a los aldeanos, las cosechas fueron destruidas y muchos egipcios murieron. Entonces el pueblo, incluyendo los ministros principales, apelaron a la Musa^(A.S).

"¡Musa!" gritaron. "¡Por favor, ayúdanos! Creeremos en ti y en tu Dios si nos quitas este castigo. Dejaremos que los hijos de Israel vayan contigo".

El Profeta rezó a Dios y la tierra volvió a la normalidad. Se volvió fértil, y los cultivos crecieron de nuevo. Pero los hijos de Israel seguían siendo esclavos. No se les permitió irse como se había prometido. El Profeta les pidió que cumplieran su promesa, pero no hicieron caso a su petición. Lo ignoraron y se marcharon.

Le rezó a Dios otra vez, y esta vez Alá envió plagas de langostas a Egipto. Las langostas atacaron las cosechas y se tragaron todo lo que encontraban a su paso. La gente se precipitó hacia el Profeta rogando por su ayuda. Los ministros prometieron dejar ir a los israelitas si él enviaba la langosta. El Profeta rezó a Dios otra vez, y la langosta se marchó. Pero incluso ahora, no dejaron que los israelitas se fueran como prometieron. Después de eso, Dios envió la plaga de piojos, propagando la enfermedad entre los egipcios. Fue seguida por una plaga de ranas que acosó y aterrorizó al pueblo.

Cada vez que Dios enviaba su castigo, la gente se precipitaba hacia el Profeta rogando que los salvara. Prometieron liberar a los israelitas cada vez, pero cuando Dios retiró los castigos, se negaron a dejarlos ir. Entonces se reveló la última señal, "la señal de la sangre". El agua del río Nilo se convirtió en sangre. El agua parecía normal cuando los israelitas bebían del río. Sin embargo, si algún egipcio llenaba su copa con agua, el agua se convertía en sangre. Se apresuraron al Profeta como de costumbre, y tan pronto como todo volvió a la normalidad, le dieron la espalda a Alá(S.W.T).

Los egipcios se niegan a creer en Alá a pesar de los milagros que Musa(A.S) realizó. El pueblo del faraón apelaría a Musa(A.S) prometiendo liberar a los israelitas pero una y otra vez, rompieron sus promesas.

EL ÉXODO Y LA MUERTE DEL FARAÓN

Finalmente, Dios retiró su misericordia y dio la orden a Musa(A.S) de sacar a su pueblo de Egipto. El pueblo llevó sus joyas y otras pertenencias con ellos. Esta migración en masa fue conocida más tarde como "El Éxodo".

En la oscuridad de la noche, el Profeta llevó a su pueblo hacia el Mar Rojo. Para entonces, el Faraón se dio cuenta de que los israelitas habían abandonado la ciudad. Se puso furioso y reunió un ejército para seguir y capturar a los israelitas.

Por la mañana temprano, los israelitas habían llegado al Mar Rojo. Cuando el Profeta Musa(A.S) miró hacia atrás, pudo ver al Ejército acercándose cada vez más. Se dio cuenta de que pronto quedarían atrapados. Delante de ellos estaba el Mar Rojo, y a sus espaldas el ejército del faraón.

El miedo y el pánico comenzaron a extenderse entre la gente. Musa(A.S) caminó hacia el borde del Mar Rojo y miró hacia el horizonte. Fue entonces cuando Yusha(A.S) se volvió hacia el Profeta Musa(A.S) y le preguntó: "Frente a nosotros está esta barrera infranqueable - el mar. Y nuestro enemigo se aproxima por detrás. Seguramente, la muerte no puede ser evitada".

Pero el Profeta Musa(A.S) no entró en pánico. Se quedó en silencio y esperó a que Alá cumpliera su promesa de liberar a los hijos de Israel. En ese momento, Alá le ordenó a Musa que golpeara el mar con su bastón. Musa hizo lo que se le ordenó.

Un viento feroz sopló. El mar comenzó a girar y a dar vueltas. Y de repente, el mar se separó revelando un camino para que la gente caminara. Fue un milagro. Musa(A.S) entonces condujo a su gente a través del mar. Mientras caminaban, la ola se erguía como una montaña a cada lado. El profeta se aseguró de que todos cruzaran el mar a salvo. Cuando miró atrás, pudo ver al Faraón y a sus hombres acercándose.

"Excepto para aquellos que son pacientes y hacen obras justas; esos tendrán el perdón y una gran recompensa." [Hud 11:11]

El Faraón y su ejército también habían visto este milagro. Pero el Faraón era un pretendiente. Quería atribuirse el mérito de este milagro, así que gritó a sus hombres: "¡Mirad! El mar se ha abierto a mi orden, para que podamos arrestarlos".

Se precipitaron a través de las aguas separadas siguiendo a los israelitas. Pero cuando llegaron a la mitad del camino, el agua se estrelló contra ellos.

El faraón se dio cuenta de que iba a morir. Gritó por miedo: "Creo que no hay más Dios que Alá y me rindo ante ti".

Pero era demasiado tarde. El telón cayó sobre la tiranía del Faraón, y las olas llevaron su cuerpo a la orilla. Cuando los egipcios vieron su cadáver, se dieron cuenta de que el hombre al que habían adorado ni siquiera podía alejar su propia muerte. Ahora sabían que nunca fue un dios.

EL DESAFÍO DE LOS ISRAELITAS

Dios había favorecido a los hijos de Israel y los llevó a salvo fuera de Egipto. Después de unos días de caminar por el desierto, tuvieron sed. Dios ordenó entonces a Musa(A.S) que golpeara una roca con su bastón. Ocurrió un milagro y salieron doce manantiales diferentes de agua de la roca. Cada manantial estaba destinado a doce tribus diferentes. Dios hizo esto para que no hubiera ninguna disputa mientras se compartía el agua. Dios también envió nubes para protegerlas del sol abrasador. Y cuando tenían hambre, envió una deliciosa comida especial llamada Maná. Pero a pesar de la generosidad de Dios, mucha gente siguió quejándose al Profeta.

Musa(A.S) regañó a la gente y les recordó que acababan de dejar la vida de esclavos. Les pidió que fueran felices en su lugar, y que agradecieran a Dios por su generosidad.

Los hijos de los israelitas eran personas quebrantadas, incapaces de mantenerse alejados del pecado y la corrupción. Estaban cansados del maná, y cansados de viajar. Se preguntaban si realmente había un lugar llamado "Caanan" después de todo. La gente siguió viajando por el desierto durante días y días. Caminaban sin destino, día y noche, mañana y tarde. Finalmente, entraron en el Sinaí.

Musa(A.S) se dio cuenta de que este era el lugar donde había hablado con Dios antes de su viaje a Egipto. Decidió subir a la montaña, así que llamó a su hermano Haroon(A.S) y le pidió que se hiciera cargo de la gente mientras él no estaba. Pero antes de subir a la montaña, Dios le ordenó al Profeta que ayunara durante treinta días. El trigésimo día, Dios le pidió al Profeta que ayunara durante diez días más. Una vez completado el ayuno, Musa(A.S) estaba listo para hablar con el Señor una vez más. Entonces empezó a escalar la montaña. La escalada fue larga y difícil.

Una vez que llegó a la cima, Dios le dio dos tablas, en las que estaban escritas las leyes especiales para gobernar a los israelitas. Musa(A.S) se había ido por cuarenta días y el pueblo se puso inquieto. Eran como niños, quejándose y actuando impulsivamente. Entre ellos, había un hombre llamado 'Samiri', que estaba más inclinado hacia el mal.

Sugirió que necesitaban otro guía, y les dijo que el Profeta Musa$^{(A.S)}$ los había abandonado.

"¡Para encontrar la verdadera guía, necesitas un verdadero Dios!" gritó a los israelitas. "Os proporcionaré uno". Empezó a recoger todas sus joyas al principio. Luego cavó un hoyo en el suelo, en el que colocó un montón, y puso todas las joyas dentro. Luego, encendió un fuego.

Samiri entonces hizo un becerro de oro del metal fundido. Era como si hubieran tenido éxito en la creación de un dios.

Haroon$^{(A.S)}$, el hermano del Profeta Musa$^{(A.S)}$ tuvo miedo de enfrentarse al pueblo al principio. Pero cuando vio el ídolo, habló,

"¡Estás cometiendo un grave pecado!" les gritó. Les advirtió de las consecuencias de sus acciones.

"Dejaremos de adorar a este dios sólo cuando Musa$^{(A.S)}$ regrese", respondieron.

Aquellos que permanecieron fieles a su creencia se separaron de los adoradores de ídolos. Se mantuvieron junto a Haroon$^{(A.S)}$. Cuando Musa$^{(A.S)}$ regresó, vio a su gente bailando alrededor del ídolo. Su corazón se llenó de vergüenza y rabia ahora. Tiró las tablas al suelo en su ira. Luego tiró de la barba y el pelo de Haroon llorando, "¿Qué te detuvo cuando los viste hacer esto? ¿Por qué no luchaste contra ellos?"

"Oh hijo de mi madre, suelta mi barba. Estaban a punto de matarme". Musa$^{(A.S)}$ comprendió la impotencia de Haroon, y comenzó a manejar la situación con calma y sabiduría. Llamó a Samiri y le dijo: "Vete de aquí. Vivirás solo el resto de tu vida". Musa$^{(A.S)}$ lo envió al exilio para siempre. Sabía que Alá los castigaría por adorar al ídolo. Así que eligió a setenta ancianos de cada tribu y les ordenó.

"Corre hacia Alá y arrepiéntete de lo que has hecho." Luego comenzó a escalar el Monte Sinaí con esos setenta ancianos. Una vez que llegaron a la cima, el Profeta les pidió a los ancianos que lo esperaran, y él se adelantó. Allí comenzó a comunicarse con Alá$^{(S.W.T)}$.

Los ancianos podían oír a Musa$^{(A.S)}$ hablando con Dios, pero no podían verlo. El Profeta regresó después de un tiempo y los ancianos le dijeron,

"¡Oh Musa! Nunca creeremos en ti hasta que veamos a Alá nosotros mismos."

Su obstinada demanda fue recompensada con el castigo de los rayos y un terremoto, que los mató a todos al instante. Musa$^{(A.S)}$ estaba muy triste ahora. Se preguntaba qué les diría a los hijos de los israelitas. Esos setenta hombres eran los mejores del pueblo. Así que se volvió a Dios y rezó por el perdón. Alá escuchó sus plegarias y resucitó a los muertos.

Los hijos de Israel vagaron por el desierto durante muchos años. Musa$^{(A.S)}$ sufrió mucho por la ignorancia de su pueblo. Sufrió todo por el bien de su pueblo. Alá nunca les permitió llegar a la tierra prometida por los pecados cometidos por los israelitas.

LA MUERTE DEL PROFETA MUSA$^{(A.S)}$

Después de unos años, el Profeta Haroon$^{(A.S)}$ murió, mientras vagaban por el desierto. Cuando llegó el momento de la muerte del Profeta Musa$^{(A.S)}$, el ángel de la muerte fue enviado a él. Cuando el ángel se acercó al Profeta, le dio una bofetada en el ojo. El ángel volvió al Señor y le dijo: "Me habías enviado a un esclavo que no quería morir".

Entonces Alá dijo: "Vuelve a él ahora. Cuando te encuentres con él, pídele que ponga su mano en la espalda de un Buey. Dile que por cada pelo que le caiga bajo el brazo, se le concederá un año de vida".

El ángel regresó al Profeta y le dio el mensaje de Alá.

"¿Qué pasará después de eso?" Preguntó Musa.

"Muerte", dijo el Ángel.

"Entonces que venga ahora", respondió el Profeta.

El Profeta pidió entonces a Alá$^{(S.W.T)}$ que le dejara morir cerca de la Tierra Santa, para que al menos pudiera verla a distancia. Alá le concedió su petición, y murió poco después.

El profeta Musa$^{(A.S)}$, a quien Alá$^{(S.W.T)}$ le habló directamente, enfrentó su muerte con un alma contenta y un corazón fiel.

Profeta Sulaiman

(La paz sea con él)

El Mayor Rey Jamás Gobernado

El Profeta Sulaiman (Salomón)$^{(A.S)}$ heredó el profeta Dawud (David)$^{(A.S)}$ el profetismo y el dominio. Esta no fue una herencia material, ya que los profetas no dejan su propiedad. Se entrega a los pobres y necesitados, no a sus parientes.

El Profeta Muhammad (P.B.U.H) dijo,

"La propiedad de los Profetas no será heredada, y lo que dejemos será usado para caridad." (Sahih Al-Bukhari).

El Profeta Sulaiman$^{(A.S)}$ fue muy inteligente desde su infancia. Un día, dos personas vinieron con su maleta delante del Profeta Dawud$^{(A.S)}$ en presencia de Sulaiman$^{(A.S)}$. Uno de ellos era un granjero, y el otro un pobre pastor. El granjero se quejó de que las ovejas del pobre pastor pastaban en su granja y causaban daños importantes. Solicitó una indemnización al pastor. Dawud$^{(A.S)}$ ordenó al pastor que entregara todas sus ovejas al granjero como compensación.

Sulaiman$^{(A.S)}$, con el debido respeto al juicio de su padre, pidió permiso y humildemente sugirió otra opción. Sugirió que el pobre pastor tomara la granja y la cultivara y que el granjero se quedara con las ovejas y usara su leche y lana. Cuando la granja se restablezca a su estado original, el granjero debe recuperar la granja y las ovejas deben ser devueltas al pastor de nuevo. Dawud$^{(A.S)}$ se sorprendió de la solución y la apreció y no dudó en aceptar una sugerencia del niño.

El Profeta Dawud$^{(A.S)}$ era un rey sabio, y cuando falleció, el Profeta Sulaiman$^{(A.S)}$ se convirtió en rey. Suplicó a Alá$^{(S.W.T)}$ por un reino tan grande y poderoso, como ninguno después de él lo habría hecho, y Alá le concedió su deseo. Además de la sabiduría, Alá había bendecido a Sulaiman con muchos milagros. Podía controlar los vientos, y podía fácilmente viajar distancias interminables en un breve período de tiempo con la ayuda del viento, y entender y hablar con los pájaros y los animales. Los jinns, que ahora son una creación invisible a los ojos de los humanos, también estaban bajo el mando de Sulaiman$^{(A.S)}$. Él era la única persona a la que Alá le había concedido el poder de controlar a los Jinns. Él podía comandar y utilizarlos para su servicio. Incluso podía hacerlos sufrir por desobediencia.

Alá$^{(S.W.T)}$ le ordenó que enseñara a los hombres y a los jinns, a minar la tierra y a extraer sus minerales para fabricar herramientas y armas. También lo favoreció con una mina de cobre, que era un metal raro en aquellos días.

Durante ese tiempo, los caballos eran el medio de transporte común. Eran muy esenciales para la defensa, para llevar a los soldados y las provisiones de los carros, y las armas de guerra. Los animales estaban bien cuidados y bien entrenados. Un día, Sulaiman$^{(A.S)}$ estaba revisando un desfile de su establo. La aptitud, la belleza y la postura de los caballos le fascinaron tanto que siguió acariciándolos y admirándolos. Esto ocupó su mente durante algún tiempo, lo que de alguna manera afectó su adoración a Alá$^{(S.W.T)}$. Esto le hizo darse cuenta de que las cosas mundanas podrían afectar el recuerdo de Allah$^{(S.W.T)}$ y se arrepintió hacia el Señor después de eso.

Una vez, Sulaiman$^{(A.S)}$ reunió a su ejército, que tenía diferentes batallones de hombres, jinns, pájaros y animales. Los hizo marchar al país de Askalon. Mientras pasaban por un valle, una hormiga vio al ejército que se acercaba y gritó para advertir a las otras hormigas,

"¡Corran a sus casas! ¡Si no, Sulaiman$^{(A.S)}$ y su ejército, sin saberlo, podrían aplastaros!"

Sulaiman$^{(A.S)}$, al oír el grito de la hormiga, sonrió. Se alegró de que la hormiga supiera que era un Profeta que no dañaría intencionadamente la creación de Alá. Agradeció a Alá por salvar la vida de las hormigas.

LA AUSENCIA DE LA ABUBILLA (HUD-HUD)

En Jerusalén, sobre una enorme roca, Sulaiman$^{(A.S)}$ construyó un hermoso templo para atraer a la gente a adorar a Alá$^{(S.W.T)}$. Hoy en día este edificio se conoce como "La Cúpula de la Roca". Desde allí, un grupo considerable de seguidores se unió a Sulaiman$^{(A.S)}$ en la peregrinación a la Mezquita Sagrada en La Meca. Después de completar su Hayy, viajaron a Yemen y llegaron a la ciudad de San'a. Su ingenioso método de canalizar el agua por todas sus ciudades impresionó a Sulaiman$^{(A.S)}$. Estaba deseoso de construir sistemas de agua similares en su propio país, pero no tenía suficientes manantiales.

Se propuso encontrar el pájaro abubilla, que podía detectar el agua bajo el suelo. Un día, Sulaiman$^{(A.S)}$ había reunido su ejército compuesto por humanos, animales, pájaros, jinns y por supuesto el viento. Los agudos ojos de Sulaiman$^{(A.S)}$ notaron la ausencia de un pájaro abubilla (hud-hud) en la enorme reunión. Decidió castigar severamente o imponer la pena de muerte al pájaro como una acción no disciplinaria, pero le dio al pájaro la oportunidad de explicar la razón de su ausencia. Envió señales por todo el reino para llamarlo, pero no se encontró en ningún lugar.

La abubilla llegó finalmente a Sulaiman$^{(A.S)}$, y explicó la razón de su retraso.

"He descubierto algo de lo que no eres consciente. Vengo de Saba (Sab'a) con noticias importantes." Sulaiman$^{(A.S)}$ se volvió curioso, y su ira disminuyó.

El pájaro continuó: "Más allá del conocimiento de Sulaiman$^{(A.S)}$, hay un reino llamado Saba, que estaba siendo gobernado por una Reina llamada 'Bilqis', que poseía muchas cosas incluyendo un espléndido Trono. Pero a pesar de toda esta riqueza, Satanás ha entrado en su corazón y en el de su pueblo. Ella gobierna sus mentes completamente. Me sorprendió saber que adoran al sol en lugar de a Alá, el Todopoderoso".

Para comprobar la información de la abubilla, Sulaiman[(A.S)] envió una carta a la Reina con el pájaro y esperó la respuesta. Instruyó al pájaro para que permaneciera oculto y para que observara todo.

LA REINA DE SEBA

La abubilla dejó caer la carta delante de la Reina y salió volando para esconderse. Ella la abrió y la leyó:

"¡Verdaderamente! Es de Sulaiman, ¡y en verdad!" Se lee: "En el nombre de Alá, el más benéfico y misericordioso; no os exaltéis contra mí, sino venid a mí como musulmanes (verdaderos creyentes que se someten con total sumisión)". (Qurán chp. 27:30-31).

La Reina de Saba (Bilqis) era muy inteligente. Después de recibir la carta, discutió el asunto con sus jefes y buscó sus consejos. Los jefes sugirieron que son lo suficientemente poderosos como para luchar en respuesta. Reaccionaron como a un desafío, ya que sentían que alguien los estaba desafiando, insinuando una guerra y una derrota, y pidiéndoles que se sometieran a sus condiciones. Le dijeron que sólo podían ofrecer consejo, pero que era su derecho a ordenar la acción. Ella sintió que querían enfrentar la amenaza de invasión de Sulaiman con una batalla. Pero ella les dijo:

"La paz y la amistad son mejores y más sabias; la guerra sólo trae humillación, esclaviza a la gente y destruye las cosas buenas. He decidido enviar regalos a Sulaiman, seleccionados de nuestro más preciado tesoro. Los cortesanos que entregarán los regalos también tendrán la oportunidad de aprender sobre Sulaiman y su poderío militar."

Esto fue una señal de su gran enfoque diplomático para manejar las situaciones con inteligencia y no con arrogancia de fuerza y poder.

El equipo de reconocimiento de Sulaiman le trajo la noticia de la llegada de los mensajeros de Bilqis con un regalo. Inmediatamente se dio cuenta de que la Reina había enviado a sus hombres en una misión de reconocimiento. Por lo tanto, dio órdenes de reunir al ejército. Los enviados de Bilqis, al entrar en medio del bien equipado ejército, se dieron cuenta de que su riqueza no era nada comparada con la del Reino del Profeta Sulaiman[(A.S)]. Los pisos de su palacio eran de sándalo y con incrustaciones de oro.

Se dieron cuenta de que Sulaiman[(A.S)] estaba inspeccionando su ejército, y se sorprendieron del número y variedad de soldados, que incluían leones, tigres y aves también. Los mensajeros se quedaron asombrados, al darse cuenta de que estaban al frente de un ejército irresistible.

Los enviados se maravillaron del esplendor que los rodeaba. Presentaron con entusiasmo los preciosos regalos de su Reina y le dijeron a Sulaiman que la Reina deseaba que los aceptara como un acto de amistad.

Se lo dijo:

"Alá[(S.W.T)] me ha dado mucha riqueza, un gran reino, y la profecía. Por lo tanto, estoy más allá de los sobornos. Mi único objetivo es difundir la creencia en Tawheed, la Unidad de Alá."

¡Sulaiman$^{(A.S)}$ ni siquiera pidió abrir las tapas de los contenedores que contenían regalos preciosos! Su reacción los sorprendió.

Les ordenó que devolvieran los regalos a la Reina y le dijeran que si no dejaba de adorar al Sol, él desarraigaría su reino y expulsaría a su gente de la tierra.

Los enviados de la Reina regresaron con los regalos y entregaron el mensaje. También le contaron las cosas maravillosas que habían visto. En lugar de sentirse ofendida, decidió visitar al Profeta Sulaiman. Acompañada por sus oficiales y sirvientes reales, dejó Saba, enviando un mensajero para informar a Sulaiman$^{(A.S)}$ que iba a encontrarse con él.

Sulaiman$^{(A.S)}$ preguntó a los jinns a su cargo si alguno de ellos podía llevar su trono a su palacio antes de que ella llegara.

Uno de ellos dijo: "Te lo traeré antes de que termine esta sesión".

Sulaiman$^{(A.S)}$ no reaccionó a esta oferta; parecía que estaba esperando un medio más rápido. Los jinns compitieron entre ellos para complacerlo.

Uno de ellos llamado 'Ifrit', dijo: "¡Te lo traeré en un abrir y cerrar de ojos!"

Tan pronto como éste, que tenía el conocimiento del Libro, terminó su frase, el trono se puso de pie ante Sulaiman. La misión, de hecho, se había completado en un parpadeo. El asiento del Profeta Sulaiman$^{(A.S)}$ estaba en Palestina, y el trono de Bilqis había estado en Yemen, a dos mil millas de distancia. Este fue un gran milagro realizado por uno de esos creyentes sentado con Sulaiman$^{(A.S)}$. Después de eso, Sulaiman$^{(A.S)}$ instruyó a los Jinns para que hicieran ligeras alteraciones en el trono para comprobar si Bilqis sería capaz de identificarlo.

Cuando Bilqis llegó al palacio de Sulaiman$^{(A.S)}$, fue recibido con pompa y ceremonia. Luego, señalando el trono alterado, Sulaiman le preguntó si su trono se parecía a ese. Ella lo miró una y otra vez. En su mente, estaba convencida de que su trono no podía ser el que ella estaba mirando, ya que el suyo estaba en su palacio. Ella detectó una sorprendente similitud y respondió: "Es como si fuera el mismo y se parece al mío en todos los aspectos." Sulaiman$^{(A.S)}$ juzgó que ella era inteligente y diplomática.

Luego la invitó a la majestuosa sala, cuyo piso estaba cubierto de vidrio y reluciente. Algunas narraciones informan que los pasajes de vidrio tenían corrientes de agua debajo que contenían peces y otras criaturas submarinas (como un acuario). Pensó que era agua, así que levantó su vestido ligeramente por encima de sus talones para que no se mojaran. Sulaiman$^{(A.S)}$ le aseguró que el piso estaba construido de vidrio. Algunas narraciones dicen que lo contó para que Bilqis no descubriera sus piernas delante de Sulaiman$^{(A.S)}$, protegiendo así su modestia.

La sorprendió. Nunca había visto tales cosas antes. Bilqis se dio cuenta de que estaba en compañía de una persona muy informada que no sólo era un gobernante de un gran reino, sino también un mensajero de Alá$^{(S.W.T)}$. Se arrepintió, dejó la adoración al sol, aceptó la fe de Alá y pidió a su gente que hiciera lo mismo. Bilqis vio el credo de su pueblo desmoronarse ante Sulaiman. Se dio cuenta de que el sol que su pueblo adoraba no era más que una de las creaciones de Alá.

LA MUERTE DEL PROFETA SULAIMAN$^{(A.S)}$

El trabajo público de Sulaiman$^{(A.S)}$ fue realizado en gran parte por los jinns. Solía ordenar a los jinns que construyeran estructuras visibles al público como arcos, imágenes, cuencas y enormes ollas. También, esto era un castigo por sus pecados de hacer creer a la gente que eran todopoderosos, conocían lo invisible y podían prever el futuro. Como Profeta, era el deber de Sulaiman$^{(A.S)}$ eliminar tales falsas creencias de sus seguidores, por lo que no debían adorar ninguna de las creaciones de Alá.

El Profeta Sulaiman$^{(A.S)}$ vivió en medio de la gloria, y todas las criaturas fueron sometidas a él. Entonces Alá, el Exaltado, ordenó que muriera. Su vida y su muerte estuvieron llenas de maravillas y milagros; así, su muerte armonizó con su vida y su gloria. Su muerte, como su vida, fue única.

Una vez, estaba sentado sosteniendo su bastón, supervisando a los jinns en el trabajo en una mina. Su alma fue arrebatada mientras estaba sentado en esta posición. Durante mucho tiempo, nadie se dio cuenta de su muerte, porque se le vio sentado en posición erguida. Los jinns siguieron haciendo su trabajo durante mucho tiempo, pensando que Sulaiman$^{(A.S)}$ los estaba vigilando, sentado erguido sobre su bastón. Esto indica que el futuro y lo no visto no lo conoce ningún jinn o humano, sino sólo Alá y quienquiera que Alá desee otorgar el conocimiento.

Muchos días después, una hormiga hambrienta comenzó a mordisquear el bastón de Sulaiman$^{(A.S)}$. Continuó haciéndolo, comiéndose la parte inferior del bastón, hasta que se le cayó de la mano del Profeta, y mientras Sulaiman$^{(A.S)}$ se apoyaba en el bastón, su gran cuerpo bajó al suelo. La gente se apresuró a acercarse a él, dándose cuenta de que había muerto hace mucho tiempo y que los jinns no percibían lo invisible, porque si los jinns hubieran conocido lo invisible, no habrían seguido trabajando, pensando que Sulaiman$^{(A.S)}$ estaba vivo.

Profeta Isa

(La paz sea con él)

El Sanador Y Resucitador

La importancia del Profeta Isa$^{(A.S)}$ es evidente por el estatus que se le ha asignado. Fue el último mensajero y profeta antes del profeta Muhammad (P.B.U.H). También fue el último mensajero de Bani-Israel. Alá había concedido un favor especial a la familia del Profeta Isa$^{(A.S)}$ al mencionar su nombre 25 veces. El nombre de su madre también se menciona 31 veces.

LA PIADOSA MARYAM$^{(A.S)}$ Y EL NACIMIENTO DEL PROFETA ISA$^{(A.S)}$

Maryam$^{(A.S)}$ era la hija del Profeta Imran$^{(A.S)}$. El Profeta Zakaria$^{(A.S)}$ cuidó de esta niña y construyó una habitación separada para ella en el templo. Mientras Maryam$^{(A.S)}$ crecía, pasaba su tiempo en la devoción a Alá$^{(S.W.T)}$. El Profeta Zakaria$^{(A.S)}$ la visitaba diariamente para ver sus necesidades, y así continuó durante muchos años. Él la enseñó y la guió. Maryam$^{(A.S)}$ creció para ser una devota de Alá, glorificándolo día y noche.

Un día Maryam$^{(A.S)}$ estaba rezando en su habitación como de costumbre. Fue entonces cuando un ángel se le apareció en forma de hombre.

Maryam$^{(A.S)}$ estaba aterrorizada, pensando que este hombre estaba aquí para hacerle daño.

Gritó: "Busco refugio con Alá de ti si temes a Alá". "

Entonces el ángel dijo: "Sólo soy un mensajero de tu señor para ti. Fui enviado para darte un niño piadoso que es puro de pecados. "

Ya se había calmado. Le preguntó al ángel: "¿Cómo puedo tener un hijo si ningún hombre me ha tocado?"

"Eso es muy fácil para Alá. Alá lo hará un signo para el pueblo y una indicación del poder de Alá. "La visita del ángel la puso muy tensa, lo que aumenta con el paso de los días.

Después de unos meses, no pudo soportar más la tensión mental. Cargada con un útero pesado, dejó la ciudad sin saber a dónde ir. Maryam$^{(A.S)}$ no había ido muy lejos cuando de repente se vio sobrepasada por los dolores del parto. Se sentó contra la palmera seca y fue aquí donde dio a luz a un hijo.

Cuando Maryam$^{(A.S)}$ miró a su bebé recién nacido, se sintió herida.

"¡Cómo pudo traerlo a este mundo sin un padre! "exclamó. "Ojalá hubiera muerto antes de que esto sucediera y hubiera desaparecido."

De repente, escuchó la voz de un ángel, "No te apenes", la voz dijo, "Alá$^{(S.W.T)}$ ha puesto un pequeño río debajo de ti. Y sacude el tronco de este árbol del que caerán los dátiles maduros. Come, bebe y recupera la fuerza que has perdido. Lo que ves es el poder de Alá$^{(S.W.T)}$. "

Maryam$^{(A.S)}$ bebía agua del río y comía los dátiles maduros. Durante un tiempo, el milagro de Alá la consoló. Después de un tiempo, se levantó y decidió volver a la ciudad. Sin embargo, sus temores también volvieron.

"¿Qué le iba a decir a la gente? " pensó.

Fue entonces cuando ocurrió otro milagro. Su bebé, nacido hace sólo unas horas, empezó a hablar.

El bebé dijo: "Si te encuentras con alguien, diles que has jurado ayunar por Alá hoy y que no hablarás con nadie". Con este milagro, Maryam$^{(A.S)}$ se sintió a gusto y caminó hacia la ciudad.

UN MILAGRO DE UN NIÑO

Como ella esperaba, su llegada a la ciudad con un recién nacido en sus brazos, despertó la curiosidad de la gente.

"¡Este es un terrible pecado que has cometido! "La regañaron, pero ella mantuvo la calma. Se puso los dedos en los labios haciendo un gesto de que no puede hablar y señaló a su hijo.

La gente estaba enojada. "¿Cómo podemos hablar con un recién nacido?"

Pero sorprendió a la gente cuando el niño empezó a hablar. El niño habló lenta y claramente.

"Soy el siervo de Alá. Alá$^{(S.W.T)}$ me ha dado el libro y me ha hecho profeta. Alá me ha hecho obediente hacia ella, que me dio a luz. Paz para mí el día que nací, el día que muero, y el día que seré resucitado con vida." La gente se quedó allí maravillada, viendo al niño hablar.

Se dieron cuenta de que el niño era único, y que era la voluntad de Alá. Por supuesto, algunos consideraron el discurso del bebé como un extraño truco.

Pero al menos Maryam$^{(A.S)}$ podía ahora quedarse en la ciudad sin ser acosada.

Se dice que Yusuf, el carpintero, se sorprendió mucho cuando se enteró de este incidente.

"¿Puede un árbol crecer sin una semilla?" le preguntó.

"Sí", respondió. "El que Alá$^{(S.W.T)}$ creó por primera vez, creció sin una semilla."

Luego le preguntó de nuevo: "¿Es posible tener un hijo sin una pareja masculina? "

"Sí", respondió Maryam$^{(A.S)}$. "Alá$^{(S.W.T)}$ creó a Adán$^{(A.S)}$ sin un hombre o una mujer. "

LA JUVENTUD DEL PROFETA ISA$^{(A.S)}$

A medida que el Profeta Isa$^{(A.S)}$ crecía, sus habilidades proféticas comenzaron a aumentar también. Podía decirles a sus amigos qué comerían en la cena, y qué habían escondido y dónde.

Cuando tenía 12 años, acompañó a su madre a Jerusalén. Cuando llegaron al templo, entró en el templo dejando a su madre. El joven profeta entró en una habitación donde la gente escuchaba las conferencias de los sacerdotes. Aunque la audiencia estaba llena de adultos, el profeta no tenía miedo de sentarse con ellos.

Después de escucharlos durante un tiempo, se levantó y empezó a hacer preguntas. Las preguntas que hizo, perturbaron a los sacerdotes eruditos porque no podían responderlas.

Los sacerdotes trataron de silenciarlo, pero el profeta los ignoró. Continuó haciendo preguntas y expresando su opinión. El profeta Isa$^{(A.S)}$ se involucró tanto en este intercambio que se olvidó completamente de su madre.

Mientras tanto, Maryam$^{(A.S)}$ se fue a casa pensando que su hijo podría haber vuelto con sus parientes o amigos. Pero tan pronto como llegó a casa, se dio cuenta de que su hijo no estaba allí. Así que corrió a la ciudad para encontrarlo. Buscó durante muchas horas y finalmente encontró a su hijo sentado entre los sabios y debatiendo con ellos. Maryam$^{(A.S)}$ se enfadó mucho con él porque estaba muy preocupada. Pero el joven profeta la calmó diciendo que había perdido la noción del tiempo mientras estaba debatiendo con los sacerdotes.

El profeta Isa$^{(A.S)}$ estudió seriamente la Torá. Era un piadoso adorador de Alá$^{(S.W.T)}$ y seguía las reglas de la Torá estrictamente. Una vez en el día del Sabbath, el Profeta Isa$^{(A.S)}$ iba camino al templo cuando el Profeta Musa$^{(A.S)}$ ordenó que se dedicara el sábado para adorar a Allah. Sin embargo, la sabiduría detrás del Sabbath ya había desaparecido. Los sacerdotes ahora hacían cien cosas ilegales como deseaban. Imagínese esto, se consideraba contra la ley, si un médico era llamado para salvar a un paciente moribundo. Era un pecado comer, beber o incluso trenzar los cabellos.

Pero al profeta no le importaban sus leyes. Arrancó la fruta para alimentar a un niño hambriento. Cuando el sacerdote vio esto, fruncieron el ceño con ira. Hizo un fuego para que la anciana se mantuviera caliente y no se congelara, lo que se consideró una violación de la ley del sábado. Cuando el profeta finalmente llegó al templo, se sorprendió al encontrar más de 20.000 sacerdotes dentro del templo. Todos ellos se ganaban la vida sólo en el templo.

El profeta Isa$^{(A.S)}$ se sorprendió de que hubiera más sacerdotes que visitantes en sí. Sin embargo, el templo estaba lleno de ovejas y palomas que se vendían al pueblo para ser ofrecidas como sacrificios. Cada paso dentro del templo le costaba dinero a los visitantes. El profeta se entristeció al ver que los sacerdotes no adoraban nada más que dinero. Los sacerdotes actuaban como si fuera un mercado.

El profeta vio que los pobres que no podían pagar el precio de una paloma o una oveja, eran expulsados como moscas. El profeta se preguntó con tristeza por qué los sacerdotes quemaban un número tan grande de ofrendas dentro del templo mientras que miles de pobres tenían hambre fuera.

EL COMIENZO DE LAS REVELACIONES Y LA OPOSICIÓN DE LOS SACERDOTES

Fue en esta noche que los dos nobles profetas, el Profeta Yahyah$^{(A.S)}$ y el Profeta Zakaria$^{(A.S)}$ fueron asesinados por la Autoridad Gobernante. Esa noche el Apocalipsis descendió sobre el Profeta Isa$^{(A.S)}$. Alá$^{(S.W.T)}$ le ordenó al profeta que comenzara su llamado al pueblo de Israel. La simple vida que el profeta había estado viviendo hasta ahora había terminado. La página de la adoración y la lucha se abrió en la vida de Isa$^{(A.S)}$.

Como una fuerza opositora, Isa$^{(A.S)}$ denunció las prácticas actuales y reforzó la ley del Profeta Musa$^{(A.S)}$. El profeta pidió a su pueblo que llevara una vida sencilla, con palabras y hechos nobles. El profeta trató de hacer entender a los sacerdotes que los Diez Mandamientos tienen más valor del que imaginaban. Por ejemplo, les dijo que el quinto mandamiento no sólo prohíbe la matanza física sino todas las formas de matanza; física, psicológica o espiritual. Sus enseñanzas molestaban a los sacerdotes. Porque cada palabra del Profeta, era una amenaza a su posición. Sus fechorías estaban siendo expuestas.

Los sacerdotes comenzaron a conspirar contra el profeta. Un día, arrestaron a una mujer acusada de adulterio. Luego llamaron a Isa$^{(A.S)}$ para pedirle su opinión. En realidad estaban planeando avergonzar al profeta frente al pueblo. De acuerdo con la ley de Moisés, una persona involucrada en el adulterio debía ser apedreada hasta la muerte. Los sacerdotes sabían que el profeta se opondría a matar a esta mujer y, por lo tanto, el profeta terminaría hablando en contra de la ley mosaica.

Trajeron a la adúltera delante de Isa$^{(A.S)}$ y le preguntaron: "¿No estipula la ley la lapidación de la adúltera?"

"Sí", respondió el Profeta. Luego miró a los sacerdotes y a la gente que estaba alrededor. Sabía que eran más pecadores que esta mujer que intentaba ganarse el pan. Se dio cuenta de que si hablaba en contra de ellos, entonces se le consideraría un desprecio a la ley de Moisés. Ahora entendía su plan. El profeta sonrió entonces y habló en voz alta a la gente que estaba a su alrededor, "Quien de vosotros esté libre de pecado puede apedrearla".

Los sacerdotes se sorprendieron al oír esto. La gente que estaba de pie alrededor dudó. Nadie de los presentes se atrevió a apedrearla, porque todos eran pecadores.

No había nadie elegible, pues ningún mortal puede juzgar el pecado. Sólo Alá$^{(S.W.T)}$, el más misericordioso puede juzgar. El profeta había hecho una nueva ley sobre el adulterio ese día. Cuando el profeta dejó el templo, la mujer lo siguió. El profeta se dio cuenta de que lo estaban siguiendo. Así que se detuvo y le preguntó por qué lo seguía. La mujer permaneció en silencio y sacó un frasco de perfume de su ropa. Se arrodilló ante el profeta y le lavó los pies con el perfume y sus propias lágrimas. Luego le secó los pies con su pelo.

Su acción tocó a Isa$^{(A.S)}$, y él le pidió que se pusiera de pie. El profeta entonces miró hacia arriba y rezó, "¡Oh Señor! perdona sus pecados."

El Profeta Isa$^{(A.S)}$ continuó rezando a Alá$^{(S.W.T)}$ por misericordia para su pueblo. Enseñó a su pueblo a tener piedad unos de otros y a creer en Alá.

Una vez dijo a sus seguidores: "Duermo mientras no tengo nada y me levanto mientras no tengo nada, y sin embargo no hay nadie en la tierra que sea más rico que yo. "

NUMEROSOS MILAGROS DEL PROFETA ISA$^{(A.S)}$

Como todos los demás Profetas, el Profeta Isa$^{(A.S)}$ también realizó muchos milagros. Alá$^{(S.W.T)}$ envió a todos los profetas con milagros como prueba de su profetismo. De esta manera la gente podía ser testigo, saber de ellos y creer en su profetismo. Muchos de los milagros que el Profeta Isa$^{(A.S)}$ realizó fueron curando enfermedades. La gente durante esta época era muy conocedora en el campo de la medicina. Y cuando el profeta curó a los enfermos que fueron declarados intratables, envió un mensaje sólido.

El profeta Isa$^{(A.S)}$ caminó una vez junto a un hombre ciego, leproso y paralizado. El Profeta le oyó decir: "Alabado sea Alá que me ha protegido de las pruebas que afligen a la mayoría de los hombres". "

El Profeta dejó de caminar y le preguntó: "Dime, ¿qué prueba te queda por padecer? Estás ciego, leproso y paralizado. "

Pero el mendigo respondió: "Me protegió de una prueba que es la mayor de todas las pruebas y que es la incredulidad".

El profeta estaba feliz con este pobre viejo. Se adelantó y puso su mano sobre los hombros del pobre hombre. Fue un milagro. Tan pronto como el Profeta tocó al hombre, sus enfermedades se curaron y pudo ponerse de pie. Alá$^{(S.W.T)}$ incluso lo transformó, que su rostro ahora brillaba con belleza. El anciano pidió permiso al Profeta para acompañarlo y él accedió. El anciano se convirtió en un compañero del Profeta Isa$^{(A.S)}$ y comenzó a adorar con él.

Una vez, puso su mano en la cara de un hombre que nació ciego. Se curó y pudo ver por primera vez en su vida.

Un día, cuando el Profeta caminaba hacia el pueblo. Vio una procesión que tenía lugar. El Profeta se acercó y les preguntó qué estaba pasando.

"Este hombre está muerto y lo llevamos al lugar de entierro", respondió uno de ellos.

El Profeta les pidió que se detuvieran y le rezó a Alá. Fue un milagro. El hombre muerto se levantó, y estaba vivo. Alá trajo a esta persona de vuelta a la vida.

El profeta Isa$^{(A.S)}$ había estado siguiendo la Torá hasta que recibió la Revelación de Dios. Dios le dio un nuevo libro, "El Injil (Biblia)". El Profeta entonces leyó este libro que le fue regalado. Cuando el Profeta anunció que había recibido un nuevo libro de Dios, a la gente que aún sigue la Torá, no le gustó esto.

LA PROPAGACIÓN DE LA COMIDA DESDE EL CIELO

Un día, el Profeta Isa$^{(A.S)}$ pidió a sus seguidores que ayunaran durante 30 días. Sus seguidores accedieron y comenzaron a ayunar. Una vez completado el período de ayuno de treinta días, los seguidores se fueron con el profeta Isa$^{(A.S)}$ al desierto. Era normal que miles de personas siguieran al Profeta a donde quiera que fuera. Muchos de los seguidores con el Profeta eran personas enfermas, que esperaban ser curadas por él. Un grupo de personas que estaban en contra de las enseñanzas del Profeta, también lo seguían a donde quiera que fuera. Lo seguían para poder burlarse del Profeta y menospreciarlo en cada oportunidad que tenían.

Después del período de ayuno de treinta días, los incrédulos le preguntaron al profeta, si podían tener una extensión de comida del cielo. Pidieron esto para refutar que Dios había aceptado su ayuno. Había miles de personas presentes y los incrédulos sabían que el Profeta nunca podría entregar lo que habían pedido. Querían comer algo especial el día que rompieron su ayuno. También querían que el pan fuera suficiente para todos ellos.

El profeta Isa$^{(A.S)}$ accedió a su petición y fue a un lugar silencioso, y rezó a Alá$^{(S.W.T)}$. Alá aceptó las oraciones del Profeta y ocurrió un milagro. Una enorme cantidad de comida descendió directamente del cielo. Había una nube debajo de la extensión y otra encima de ella, y estaba rodeada por los ángeles. Lentamente bajó al suelo, y mientras descendía, el Profeta permaneció inmerso en sus oraciones.

La propagación de la comida aterrizó cerca del Profeta. Había una tela blanca cubriendo la propagación. El Profeta se la quitó diciendo: "En el nombre de Alá, el mejor sustentador".

Cuando se quitó la tela que cubría la extensión, la gente se reunió alrededor y miró con asombro. Había siete peces grandes, siete panes, vinagre, sal, miel y muchas otras frutas. El pan tenía un olor maravilloso, ya que la gente nunca había olido nada tan maravilloso antes. El profeta pidió entonces a los incrédulos que comieran del pan.

"No comeremos de él hasta que te veamos comer de la pasta", respondieron.

"Vosotros sois los que lo habéis pedido", dijo el Profeta. "Entonces deberían comer la comida primero. "

Pero los incrédulos se negaron. El Profeta pidió entonces a los pobres, los enfermos, los minusválidos y los ciegos que comieran del pan. Había más de 1.000 de ellos y todos ellos comieron de la masa. Todos los enfermos que comieron del pan se curaron. Lo mismo ocurrió con los discapacitados, los ciegos y todos los demás. Fue un milagro. Los incrédulos estaban ahora tristes porque se habían negado a comer del pan cuando fueron invitados por primera vez.

La noticia de la fiesta viajó rápido y llegó a la ciudad. Miles de personas viajaron para presenciar esta fiesta divina. El número de personas que querían participar en la fiesta se había vuelto tan grande. El Profeta les pidió que se turnaran para celebrar esta fiesta. Los días pasaban, ya que cada persona, desde el primero al último, comía hasta que se llenaba. Se dice que casi 7.000 personas comieron del banquete cada día.

Después de cuarenta días, Alá le pidió al Profeta que sólo permitiera comer del banquete a los pobres, y no a los ricos. El Profeta advirtió a la gente que fuera honesta y pidiera a los ricos que se alejaran del banquete. También le pidió a los pobres que no se llevaran la comida para guardarla para el día siguiente.

Sin embargo, la gente no escuchó. Los ricos comían de la tirada fingiendo ser pobres y muchos pobres se llevaban la comida desobedeciendo las órdenes del Profeta. Como resultado, la comida fue llevada de vuelta al cielo, de donde vino. La gente habló de este milagro durante muchos años, y los convenció de los milagros de Alá.

EL ASCENSO DEL PROFETA ISA^(A.S) A LOS CIELOS

Para cuando el Profeta Isa^(A.S) tenía treinta años, los sacerdotes se enfurecieron con él e hicieron planes para matar al Profeta. Una noche, el profeta estaba sentado junto con sus doce compañeros en su casa.

Dijo: "Uno de ustedes me va a traicionar".

Era cierto, y no era otro que Judas. Judas había ido a reunirse con los jefes de los sacerdotes ese día.

"¿Qué me darás si te entrego a Isa? "Judas le preguntó al sacerdote.

"Te daremos treinta piezas de siclos. "El sacerdote principal respondió.

Judas se avergonzaba de sí mismo. Salió de la habitación. El profeta Isa^(A.S) pidió entonces que cualquiera de sus compañeros estuviera listo para tomar su lugar, ya que los soldados venían a arrestarlo.

"¿Quién de vosotros estará dispuesto a ocupar mi lugar? " preguntó el Profeta. "Serás mi compañero en el paraíso".

Un joven se levantó y aceptó de inmediato. Cuando los soldados llegaron para arrestar al Profeta, tomaron al joven en su lugar y lo crucificaron.

Antes de que crucificaran al joven, el profeta Isa^(A.S) se levantó de una ventana en el rincón de la casa. Ahora está vivo en el segundo cielo. Descenderá antes del Día del Juicio Final.

Nosotros, (como musulmanes) creemos que el Profeta Isa^(A.S) volverá a la tierra como un ser humano. Volverá tal como fue tomado de la tierra e irá tras el anticristo (Dajjal) para matarlo. Entonces gobernará con justicia y equidad de acuerdo con las enseñanzas del Islam.

Profeta Muhammad

El Ultimo Mensajero Y Un Revolucionario Para La Humanidad

LA JUVENTUD DEL PROFETA

El Profeta Muhammad$^{(S.A.W.W)}$ nació en Meca, Arabia, el 12, Rabi-ul-Awwal. Su madre, Amina$^{(R.A)}$, era la hija de Wahab Ibn Abu Manaf de la familia Zahrah. Su padre Abdullah$^{(R.A)}$ era hijo de Abdul Muttalib$^{(R.A)}$. Sus antepasados se remontan a la noble casa del Profeta Ismail$^{(A.S)}$, hijo del Profeta Ibrahim$^{(A.S)}$.

El padre del profeta murió antes de que él naciera. Su madre lo cuidó hasta los seis años. Cuando cumplió seis años, su madre también falleció. Su abuelo Abdul Mutallib$^{(R.A)}$ cuidó con ternura al niño huérfano. Pero el viejo jefe falleció en los dos años siguientes y antes de su muerte, puso al pequeño a cargo de su tío Abu Talib.

El Profeta Muhammad$^{(S.A.W.W)}$ creció como un niño obediente. Cuando tenía doce años, acompañó a su tío Abu Talib en su viaje a Basora. Viajaron durante muchos meses en el desierto. Cuando le presentó al Profeta Muhammad$^{(S.A.W.W)}$ a un monje, quedó muy impresionado. Luego le dijo a Abu Talib, "Regresa con este niño y protégelo del odio de los judíos". Una gran carrera le espera a su sobrino".

Abu Talib no entendía bien lo que el monje quería decir. Su sobrino era un niño normal. Dio las gracias y regresó a La Meca. Después de este viaje, no pasó nada especial en la vida de este joven profeta durante mucho tiempo, pero todas las autoridades coinciden en que tenía una gran sabiduría, modales y moral, lo cual era raro entre la gente de La Meca. A todos les gustaba por su buen carácter y sabiduría, por lo que recibió el título de "Ameen", que significa fiel, y "Sadiq", que significa verdadero.

Como cualquier otro niño, tenía que hacer las tareas de su familia. Su tío había perdido la mayor parte de su riqueza y el profeta le ayudó cuidando de sus rebaños. El Profeta Muhammad$^{(S.A.W.W)}$ llevaba una vida solitaria. Estaba triste cuando vio los repentinos estallidos de peleas sangrientas entre la gente de Meca. A la gente no le importaba la ley. Su corazón se afligía cuando veía la miseria de otras personas, y tales escenas eran algo cotidiano en La Meca durante ese tiempo.

PROPUESTA DE MATRIMONIO DE KHADIJA$^{(R.A)}$

Cuando el profeta tenía veinticinco años, viajó de nuevo a Siria, y fue aquí donde conoció al amor de su vida, Khadija$^{(R.A)}$.

Khadija$^{(R.A)}$ era una de las mujeres más bellas y nobles de la zona. Era de una familia muy rica, pero era viuda. A pesar de ser viuda, muchos hombres ricos y prominentes de la sociedad le pidieron su mano en matrimonio, pero ella los rechazó a todos ya que había perdido el deseo de casarse de nuevo. Fue sólo hasta que el Profeta Muhammad$^{(S.A.W.W)}$, entró en su vida. En ese momento, Khadija$^{(R.A)}$ buscaba a alguien honesto que pudiera hacer negocios para ella. Fue entonces cuando le presentaron al profeta. Se enteró de que aunque era huérfano y pobre, provenía de una familia noble. Este hombre tenía un carácter moral impecable y era ampliamente conocido como el hombre más honesto de todos.

El Profeta Muhammad$^{(S.A.W.W)}$ pronto empezó a trabajar para ella y se puso en marcha para su primer viaje de negocios junto con su sirviente. Después de que regresaron, ella le preguntó al sirviente sobre la conducta del profeta. El sirviente la sorprendió con su informe.

"Este joven es el más amable que he visto. "Nunca me trató con dureza como muchos otros, y cuando viajábamos por el desierto bajo el sol abrasador, siempre había una nube que nos seguía dándonos sombra. No sólo eso, sino que este nuevo empleado también demostró ser un talentoso hombre de negocios. Primero, vendió la mercancía que ella le dio. Luego, con la ganancia, compró otras mercancías y las revendió de nuevo. Así, obteniendo un doble beneficio. Khadija se enamoró profundamente del profeta a pesar de que era 15 años más joven. Decidió casarse con él.

Al día siguiente, envió a su hermana a este joven.

"¿Por qué no te has casado todavía?" le preguntó.

"Por falta de medios. " respondió.

"¿Y si te ofreciera una esposa de nobleza y belleza? ¿Estarías interesado?" preguntó.

"¿Quién es?", respondió.

Cuando mencionó a su hermana, el joven se rió con asombro.

"¿Cómo podría casarme con ella? Ella ha rechazado a los hombres más nobles de la ciudad. Eran mucho más ricos y prominentes que este pobre pastor. "

Pero la hermana respondió: "No te preocupes, me ocuparé de ello".

No mucho después, el Profeta Muhammad$^{(S.A.W.W)}$ se casó con Khadija$^{(R.A)}$, fue el comienzo de uno de los matrimonios más cariñosos, felices y sagrados de toda la historia de la humanidad. Este matrimonio le dio el corazón amoroso de una mujer que lo consoló y mantuvo viva en su interior una llama de esperanza cuando ningún hombre creía en él. El profeta vivió una vida rica durante muchos años. Después de eso, cuando el profeta alcanzó la edad de 35 años, resolvió una grave disputa con su juicio, que amenazó con sumir a Arabia en una nueva serie de guerras. Era el momento de reconstruir la Ka'aba. Todas las tribus que se habían reunido allí querían tener el honor de levantar la Piedra Negra, la reliquia más sagrada. Los líderes y hombres de cada tribu lucharon entre ellos para reclamar el honor. Entonces un anciano intervino y le dijo a la gente,

"Escucharán al primer hombre que entre por esa puerta. "El pueblo estuvo de acuerdo y esperó pacientemente mirando la puerta. El primer hombre que entró por la puerta fue nada menos que el Profeta Muhammad$^{(S.A.W.W)}$.

Las diferentes tribus buscaron su consejo, y cuando terminaron, el Profeta ordenó: "Coloca la piedra en un paño. Cada tribu tendrá el honor de levantar la piedra sosteniendo una parte del paño". El pueblo aceptó felizmente esta idea. La piedra fue así colocada, y completaron la reconstrucción de la casa sin más interrupciones.

Fue durante este tiempo que un hombre llamado Osman Ibn Huwairith llegó a La Meca. Trató de tentar a la gente de Meca usando el oro bizantino, y trató de convertir el territorio en dependiente del gobierno romano. Pero sus intentos fracasaron porque el profeta intervino y advirtió al pueblo de Meca.

El Profeta siempre ayuda a los pobres y a los necesitados también. Se dice que cuando su tío Abu Talib cayó en malos tiempos, el profeta saldó todas sus deudas con su riqueza personal. El Profeta también se encargó de la educación del hijo de su tío, Ali$^{(R.A)}$, y lo crió. Un año más tarde, adoptó a "Akil", otro hijo de su tío.

El Profeta Muhammad$^{(S.A.W.W)}$, desde sus humildes comienzos, se había hecho rico y bastante respetado. Khadija$^{(R.A)}$ dio a luz a tres hijos y cuatro hijas. Pero ninguno de los hijos varones sobrevivió. Todos murieron en la infancia misma.

El Profeta amaba mucho a Alí, y encontró consuelo en él. Fue durante este tiempo que un grupo de saqueadores árabes capturaron a Zaid, un niño de los brazos de su madre. Estos saqueadores luego vendieron al niño como esclavo en el mercado de Ukaz'. Un pariente de Khadija compró a Zaid, y él se lo regaló. Khadijah, a su vez, le dio el niño al Profeta como regalo. El Profeta se encariñó mucho con Zaid, a quien se refirió como "Al-Habib" que significa 'el Amado'.

Zaid consideró al Profeta como su mentor y siguió sus caminos. El chico tenía una mente espiritual y una buena moral del Profeta. Mientras tanto, los padres de Zaid seguían afligidos por la pérdida de su hijo. Rezaban diariamente para que su amado hijo les fuera devuelto.

Un día, los padres de Zaid visitaron La Meca para realizar la peregrinación. Fue aquí donde vieron a Zaid y con gran alivio, se precipitaron hacia él. Cuando su padre se enteró de esta maravillosa noticia, cargó sus bolsas con oro y se acercó al Profeta Muhammad$^{(S.A.W.W)}$. El padre pensó que podía comprarle su hijo a su dueño. El padre de Zaid se reunió y le pidió que liberara a su hijo.

El Profeta le preguntó: "¿Quién es esta persona cuya liberación estás exigiendo? "

"Tu esclavo, Zaid Ibn Haritha", respondió el padre.

"Le mostraré un camino por el cual puede recuperar a su hijo sin pagar el oro. "

Sorprendió al Padre. Preguntó: "¿De qué estáis hablando? "

"Lo llamaré aquí delante de ti. Si desea ir con usted entonces es libre de hacerlo. Puede llevárselo con gusto y no le cobraré nada, pero..." El Profeta continuó, "Si prefiere quedarse conmigo, entonces no lo obligaré a ir con usted. "

El padre de Zaid estuvo de acuerdo, y llamaron al chico. El Profeta le explicó las opciones que tenía y le pidió que decidiera.

"Me quedaré contigo. " el chico dijo de inmediato.

Su padre se sorprendió al oír esto.

Entonces le preguntó: "¿No quieres quedarte con tus padres? ¿O prefieres quedarte como esclavo? "

"Padre..." dijo el chico, "Estoy profundamente conmovido por las cualidades de este hombre. Y por cierto, me trata con amor y afecto. Nunca podré dejarlo y vivir en otro lugar. "El corazón del Profeta se hinchó cuando escuchó esto. Llevó a Zaid al centro de la ciudad y dijo en voz alta: "Este es mi hijo. Y nos heredamos el uno al otro. "

Como resultado de ello, Zaid Ibn Haritha pasó a llamarse Zaid bin Muhammed, como era costumbre en aquellos días. Esta cordial relación duró hasta su último aliento.

LA REVELACIÓN DE ALÁ^(S.W.T)

El Profeta Muhammad^(S.A.W.W) se acercaba a los 40 años. Estaba muy triste viendo la condición de su pueblo. Su país estaba desgarrado en guerras, y la gente estaba en la barbarie. Eran adictos a las supersticiones y a la adoración de ídolos. El pueblo siempre estaba luchando entre sí. El Profeta tenía el hábito de recluirse en una cueva en el Monte Hira, a pocos kilómetros de La Meca. Solía rezar y meditar dentro de esta cueva, la mayor parte del tiempo solo. Aquí pasaba a menudo las noches en profunda reflexión y comunión con el Alá omnisciente del universo.

Fue durante una de estas noches, cuando nadie estaba cerca de él, que un ángel se le apareció. La visión del ángel asombró al profeta. No podía creer lo que veía. El ángel le pidió entonces al Profeta que leyera. ¿Pero cómo podía leer el Profeta si nunca había ido a la escuela?

"No soy un lector", le dijo al ángel.

Entonces, de repente, el ángel lo agarró y lo apretó con fuerza. El ángel dijo de nuevo, "Lee".

"No soy un lector. "El Profeta lloró de nuevo. El ángel entonces apretó al Profeta tan fuerte que pensó que se desmayaría.

El ángel dijo: "¡Lee! En el nombre de tu señor y amante, que creó al hombre de un coágulo de sangre coagulada. ¡Lee! Y tu señor es el más generoso, que ha enseñado a escribir con la pluma, enseñó al hombre lo que no conocía."

El Profeta repitió las palabras con un corazón tembloroso. Perplejo por su experiencia, el profeta se dirigió a su casa. Tan pronto como entró en su casa, le dijo a su esposa, "¡Envuélveme! ¡Envuélveme! "

Él temblaba mientras decía esto, y ella lo envolvió en una toalla hasta que su miedo desapareció. Le explicó a su esposa lo que había pasado. Cuando terminó, le preguntó si ella pensaba que se había vuelto loco.

"¡Alá no lo permita! " ella respondió. "Él no permitirá que tal cosa suceda, porque tú dices la verdad. Eres fiel a la confianza. Ayudas a tus semejantes".

Luego fue a su primo, Warqa bin Naufil, que era viejo y ciego, pero conocía las escrituras bastante bien. Las había traducido al árabe. Cuando ella le contó lo que le había pasado a su marido, él gritó,

"¡Santo! ¡Santo! Este es el espíritu santo que vino a Moisés. Será el Profeta para su pueblo. Dile esto y pídele que sea valiente de corazón".

El Profeta continuó recibiendo revelaciones por el resto de su vida. Fue memorizado y escrito por sus compañeros en pieles de oveja. El Profeta sabía que la gente tenía que escuchar el mensaje de Dios. Así que empezó a predicar a la gente lo que Dios le decía. Durante los primeros años de su misión, el Profeta predicó a su familia y amigos cercanos. La primera mujer que se convirtió fue su esposa Khadija(R.A), y el primer fiador fue su sirviente, Zaid(R.A). Su viejo amigo Abu Bakr(R.A) fue el primer hombre adulto libre en convertirse.

Muchos años después, el profeta Muhammad(S.A.W.W) dijo esto sobre él. "Nunca he llamado a nadie al Islam que no haya dudado al principio, excepto Abu Bakr(R.A). "

Durante tres largos años, el Profeta trabajó en silencio para entregar el mensaje de Dios. La adoración de ídolos estaba profundamente arraigada entre la gente y el Profeta trató de convencer tanto como pudo. Después de tres años de lucha, sólo pudo conseguir 13 seguidores. Más tarde, el profeta recibió la orden de predicar abiertamente. Incluso sus compañeros habían empezado a cuestionar su cordura. Para entonces sus enemigos habían empezado a conspirar contra él. Predicó que todos eran iguales ante Dios, y esto desafió la autoridad de los sacerdotes locales.

Un día, se reunieron y decidieron suprimir el movimiento del Profeta. Decidieron que cada familia debería asumir la tarea de erradicar a los seguidores del Islam. Cada familia comenzó a torturar a sus propios miembros, parientes y esclavos que seguían al Profeta. La gente era golpeada, azotada y luego arrojada a la prisión. La colina de Ramada y el lugar llamado Bata, se habían convertido en escenarios de crueles torturas. Sólo el Profeta fue dejado fuera porque tenía la protección de Abu Talib(R.A) y Abu Bakr(R.A).

Entonces el sacerdote trató de tentar al Profeta para que se uniera a su religión. Para ello, enviaron a Utba Ibn Rabi'a a reunirse con el Profeta.

"Oh hijo de mi hermano", dijo el Mensajero. "Te distingues por tus cualidades. Sin embargo, has denunciado a nuestros dioses. Estoy aquí para hacerte una propuesta".

"Te escucho, hijo de Waleed", dijo el Profeta.

"Si estáis dispuestos a adquirir riquezas, honores, dignidad, entonces os ofreceremos una fortuna mayor que la que tenemos entre nosotros. Te haremos nuestro jefe, y consultaremos todo contigo. Si deseas el dominio, entonces te haremos nuestro rey", dijo Utba.

Cuando terminó, el Profeta dijo: "Ahora escúchame".

"Estoy escuchando. " respondió Utba.

El Profeta recitó los primeros 13 versos de Surah Fussilat.

Alabó a Alá$^{(S.W.T)}$ y explicó las buenas nuevas del paraíso a todo aquel que creyera en el único Dios verdadero. El Profeta le recordó lo que le había pasado a la gente de Aad y Thamud. Cuando el Profeta terminó de recitar, le dijo a Utba,

"Esta es mi respuesta a su propuesta. Ahora toma el curso que te parezca mejor."

Cuando el plan para tentar al Profeta fracasó, se acercaron a su tío Abu Talib. El tío del Profeta trató de persuadirlo de que dejara de predicar al pueblo. Pero el profeta dijo,

"Oh tío, si pusieran el sol en mi mano derecha y la luna en mi mano izquierda para impedirme predicar el Islam, nunca me detendría."

El Profeta, abrumado por la idea de que su tío estaba dispuesto a abandonarlo, se volvió para alejarse de su hogar. Pero Abu Talib llamó al Profeta en voz alta. Le pidió que volviera. Cuando el Profeta regresó, Abu Talib le dijo, "Di lo que quieras. Por el Señor! No te abandonaré para siempre".

Los sacerdotes de las diferentes tribus comenzaron a perseguir públicamente a los partidarios del Profeta. Fue durante este tiempo que un rey cristiano llamado 'Al-Najashi' gobernaba en Abisinia. El Profeta había oído hablar de la rectitud, tolerancia y hospitalidad de este tipo de gobernante. Cuando la persecución se volvió insoportable para el pueblo, el Profeta les aconsejó que emigraran a Abisinia. Unas 15 familias emigraron a este país en pequeños grupos para evitar ser detectados.

Esto se llama la primera Hijra en la historia del Islam. Esto ocurrió durante el quinto año de la misión del Profeta. Los emigrantes recibieron una amable recepción del rey y su gente. Muchos otros que sufrieron a manos de los malvados sacerdotes en La Meca pronto los siguieron. El número de personas que emigraron, pronto llegó a alrededor de cien.

Cuando los sacerdotes se enteraron de esto, se pusieron furiosos. Decidieron no dejar a los emigrantes en paz. Inmediatamente enviaron dos enviados al Rey, para que los trajera de vuelta a todos. Cuando los enviados se reunieron con el Rey, él convocó a los pobres fugitivos y les preguntó qué tenían que decir.

Ja'far, el hijo de Abu Talib y hermano de Ali, habló por los exiliados,

"Oh, Rey, nos hundimos en la profundidad de la barbarie. Adorábamos ídolos, ignorábamos todo, y no teníamos ninguna ley. Entonces Alá levantó un hombre entre nosotros, que es puro y honesto. Nos enseñó a adorar a Alá y nos prohibió adorar los ídolos. Nos enseñó a decir la verdad y a ser fieles. Creemos en él y hemos aceptado sus enseñanzas. Sus seguidores fueron perseguidos, obligándonos a volver a adorar los ídolos. Cuando no encontramos seguridad entre ellos, vinimos a tu reino, confiando en ti para salvarnos de ellos."

Cuando el rey escuchó su discurso, pidió al enviado que regresara a su tierra y no interfiriera con los emigrantes.

Mientras sus seguidores se refugiaban en tierras extranjeras, el Profeta continuaba su predicación contra una estricta oposición. Algunos se burlaron de él y le pidieron una señal. Entonces el Profeta decía, "Alá$^{(S.W.T)}$ no me ha enviado a hacer maravillas. Me ha enviado a predicarte. "

Pero el sacerdote persistente no estaba de acuerdo con él. Insistieron en que a menos que vieran una señal, no creerían en su Señor. Los incrédulos solían preguntar: "¿Por qué no muestra ningún milagro como los Profetas anteriores? "

"Porque los milagros habían demostrado ser inadecuados para convencer." respondió el Profeta. "Noé$^{(A.S)}$ fue enviado con señales, ¿entonces qué pasó? ¿Dónde estaba la tribu perdida de Thamud? Se negaron a creer en el Profeta Saleh$^{(A.S)}$, a menos que mostraran una señal. Entonces el profeta hizo que las rocas se rompieran y sacó un camello vivo. Hizo lo que le pidieron, ¿y luego qué pasó? Con ira, el pueblo cortó las patas del camello y volvió a retar al profeta a cumplir su amenaza de juicio. Finalmente, todos yacían muertos en sus camas a la mañana siguiente. "

Hay alrededor de diecisiete lugares en el Corán en los que el Profeta ha desafiado a mostrar una señal, pero les dio a todos ellos la misma respuesta. Después de algún tiempo, los sacerdotes se acercaron de nuevo a Abu Talib y le pidieron que abandonara a su sobrino. Pero el honorable hombre declaró su intención de proteger al Profeta de cualquier daño. Los incrédulos continúan torturando al Profeta y a sus seguidores dondequiera que vaya. Pero el Profeta siguió predicando a la gente, y ganó más y más seguidores.

LA CONVERSIÓN DE UMER^(R.A)

El evento más notable que ocurrió durante ese tiempo fue la conversión de Umer^(R.A). Él era uno de los más rabiosos enemigos del Islam y del Profeta. Era un atormentador de los musulmanes y todo el mundo le temía.

Se dice que un día, en pura ira, Umer resolvió matar al Profeta y salió de su casa con esta intención. Cuando se acercó a la casa del Profeta, un hombre lo detuvo. Cuando el hombre se enteró de lo que Umer estaba haciendo, le dijo: "Tu hermana y su marido también han abrazado el Islam. ¿Por qué no vuelves a tu casa y lo arreglas?"

Umer estaba furioso al oír que su hermana y su marido se habían convertido en musulmanes. Inmediatamente cambió de dirección y se dirigió a la casa de su hermana. Al acercarse a su casa, pudo oír el sonido del Corán que se estaba recitando.

Umer caminó hacia la casa y llamó a la puerta. Cuando la hermana y su marido oyeron llamar a la puerta, se apresuraron a esconder el libro. Umer entró en la casa y exigió saber cuál era el zumbido que escuchó. La hermana de Umer respondió que era el sonido de ellos hablando entre ellos. Pero Umer conocía bien el sonido del Corán, así que les preguntó enfadado.

"¿Se han convertido en musulmanes?"

"Sí, lo hemos hecho", respondió el marido de la hermana.

Umer estaba tan enojado que lo golpeó y cuando su hermana trató de defender a su esposo, él también le pegó en la cara. La sangre empezó a gotear de su cara ahora. La hermana de Umer se levantó y se enfrentó a su hermano enojado diciendo: "¡Eres un enemigo de Dios! Me has golpeado sólo porque creo en Dios. Te guste o no, testifico que no hay más dios que Alá y que Mahoma, es su esclavo y mensajero. ¡Haz lo que quieras!"

Umer vio la sangre corriendo por la cara de su hermana. Sus palabras resonaron en sus oídos. Exigió que le recitaran las palabras del Corán que había escuchado al acercarse a la casa. Su hermana le pidió que se lavara antes de recitar esas palabras. Umer aceptó, se limpió y volvió. Cuando su hermana recitó las palabras del Corán, le llenó los ojos con lágrimas calientes.

"¿Esto es a lo que nos enfrentamos?", gritó. "El que ha dicho estas palabras necesita ser adorado. "Umer dejó la casa de su hermana y corrió hacia el Mensajero de Alá^(S.A.W.W).

Los que estaban con el Profeta tenían miedo de Umer, así que trataron de detenerlo.

El Profeta le preguntó: "¿Por qué has venido aquí, hijo de Khattab?"

Umer se enfrentó al Profeta con humildad y alegría, y dijo: "¡Oh Mensajero de Dios! No he venido por ninguna razón, excepto para decir que creo en Dios y en su Mensajero. "El Profeta se llenó de alegría y gritó que Alá es grande.

La conversión de Umer$^{(R.A)}$ tuvo un efecto milagroso en la gente de La Meca. Más y más gente ahora sigue al Profeta. Los incrédulos entonces hicieron la vida del Profeta aún más difícil. Impusieron una prohibición total de contacto con la familia del Profeta. El Profeta fue forzado a dejar La Meca debido a la prohibición. Durante este período, el Profeta y sus discípulos permanecieron en su mayoría en el interior y el Islam no progresó en el exterior. Durante los meses sagrados, cuando la gente no era violenta, el Profeta salía a predicar. La prohibición sobre la familia del Profeta fue levantada después de tres años y él regresó a La Meca.

Al año siguiente, su tío, Abu Talib$^{(R.A)}$ y su esposa, Khadija$^{(R.A)}$ murieron. El profeta había perdido a su guardián que lo protegía de los enemigos y Khadija$^{(R.A)}$ era su compañera más alentadora. Después de la muerte de su esposa, el Profeta se casó con una mujer viuda, Sawda$^{(R.A)}$. Ella y su marido habían emigrado a Abisinia en los primeros años de la persecución. Después de la muerte de su marido, ella regresó a La Meca y buscó el refugio de Profeta. El Mensajero de Alá$^{(S.A.W.W)}$ reconociendo sus sacrificios por el Islam, extendió su refugio casándose con ella.

LA NOCHE DEL VIAJE "AL-ASRA"

Una noche tranquila en La Meca, un año antes de la migración a Madina, el Profeta Muhammad$^{(S.A.W.W)}$ estaba durmiendo cuando el Ángel Jabrael$^{(A.S)}$ apareció ante él. Abrió el pecho del Profeta, le quitó el corazón y lo lavó con agua 'Zam Zam'. Luego trajo una vasija de oro que contenía sabiduría y fe. Vació la vasija en el noble pecho del Profeta y luego la cerró. Entonces, el Profeta vio un animal blanco, más pequeño que un caballo pero más grande que un burro, con alas a cada lado de sus patas traseras.

El Profeta montó el animal y se fue a Bait-ul-Maqdas en Jerusalén. Esta parte del viaje se llama "Al-Isra". Después de descartar el animal, el Profeta entró en la mezquita de Al-Aqsa y rezó. Entonces vio a sus predecesores, Musa$^{(A.S)}$, Isa$^{(A.S)}$ e Ibrahim$^{(A.S)}$ de pie ante él. El Profeta siguió guiándolos en sus oraciones. El Profeta entonces montó el animal de nuevo y ascendió hacia los cielos. Este viaje se conoce como "Al-Mairaj". Durante el viaje desde el primer cielo al séptimo cielo, el Ángel Jabrael$^{(A.S)}$ guió al Mensajero de Alá$^{(S.A.W.W)}$ a ver muchas escenas, incluyendo el paraíso y el infierno. En el paraíso, vio viviendas hechas de perlas y sus suelos hechos de almizcle. También fue llevado al Infierno, donde Alá le reveló escenas del futuro. Vio a la gente recibiendo terribles castigos por diferentes pecados. Entonces, el ángel llevó al Profeta al árbol de la suerte. Desde este punto del viaje, el Profeta Muhammad$^{(S.A.W.W)}$ ascendió más lejos sin Jabrael$^{(A.S)}$. Sobre el séptimo cielo, "La-Makan" comenzó donde ningún ser había ido. Allí, Alá$^{(S.W.T)}$ habló directamente con el Profeta Muhammad$^{(S.A.W.W)}$ y le reveló los últimos versos de 'Al-Baqara'. Es durante este milagroso viaje, que Allah$^{(S.W.T)}$ le dio el regalo de 'Salah' al profeta e hizo obligatorios los rezos diarios. Inicialmente, cincuenta oraciones diarias fueron obligatorias. Pero cuando el Profeta recibió estas instrucciones de Alá y bajó, se encontró con Musa$^{(A.S)}$. El Profeta Musa preguntó sobre los regalos que Alá le dio para su "Ummah". Cuando el Profeta Muhammad$^{(S.A.W.W)}$ le informó sobre las 50 oraciones, el Musa$^{(A.S)}$ dijo,

"Tu gente no podría realizar cincuenta oraciones cada día. Probé a la gente antes que tú. Tuve que tratar con los hijos de Israel y fue muy difícil para mí. Vuelve a tu Señor y pídele que reduzca la carga de tu Ummah."

El Profeta hizo lo que se le aconsejó y volvió a Alá. Alá lo redujo a cuarenta y cinco, pero cuando volvió a pasar por el Musa$^{(A.S)}$, sugirió que volviera al Señor y pidiera más reducción por la misma razón. Sucedió varias veces, y el Profeta continuó yendo y viniendo hasta que Alá dijo: "Habrá cinco oraciones cada día, y cada una será recompensada como diez, lo que equivale a 50 oraciones diarias".

El Profeta se reunió una vez más con Musa$^{(A.S)}$ y le informó de las cinco oraciones diarias. Musa$^{(A.S)}$ le repitió que debía volver de nuevo. Sin embargo, el Profeta dijo: "Le he pedido a mi Señor hasta que soy demasiado tímido para enfrentarme a él. Lo acepto y me someto a él".

El Profeta regresó a casa y encontró su cama todavía caliente. El Mensajero de Alá$^{(S.A.W.W)}$ contó este viaje a los creyentes y les dio la buena nueva.

EL HIJRAH HACIA MADINA

El Islam se estaba extendiendo rápidamente en la región. Y debido a esto, los incrédulos estaban furiosos. Un día, los líderes decidieron matar al Profeta. Hicieron un plan, en el que se eligió a un hombre de cada una de sus tribus, y planean atacar al Profeta simultáneamente por la noche. Alá le informó al Profeta sobre sus planes esa noche y le pidió que abandonara Meca inmediatamente.

El Mensajero de Alá $^{(S.A.W.W)}$ salió de La Meca con Abu Bakr$^{(R.A)}$ en la oscuridad de la noche. Fueron al sur de Meca a una montaña en la "cueva de Thawr". Después de permanecer allí durante tres noches, viajaron a Madina. Este es el comienzo de una nueva era en la vida del Mensajero de Alá $^{(S.A.W.W)}$. Esto se conoce como 'el Hijrah' que significa la migración del Profeta desde la Meca, su ciudad natal. El calendario islámico comienza con este evento.

Cuando los incrédulos se enteraron de esto, ofrecieron una recompensa de cien camellos a quien atrapara al Profeta. Pero a pesar de sus mejores grupos de búsqueda, el Profeta llegó a salvo a Madina. La gente de Madina le dio una cálida bienvenida al Profeta.

Uno por uno, los creyentes en La Meca se fueron a Madina, dejando atrás sus propiedades y hogares.

Cuando el Profeta y su gente se establecieron en Madina, fue gobernada por muchas tribus diferentes. Estas tribus estaban constantemente peleando entre ellas. Sólo cuando el Profeta llegó, tuvieron paz entre ellos. Los miembros de la tribu olvidaron las viejas disputas y se unieron en el vínculo del Islam. El Profeta, para unir a todos en lazos más estrechos, estableció entre ellos una hermandad. El primer paso que dio el Profeta después de establecerse en Madina, fue construir una mezquita para la adoración de Alá. Luego el Profeta hizo una carta para que todas las personas vivieran juntas de manera ordenada, definiendo claramente sus derechos y obligaciones. Esta carta representó el marco de la primera mancomunidad organizada por el Profeta. Después de su emigración a Madina, los enemigos del Islam aumentaron su asalto por todos lados. La batalla de Badr y Uhud se libró cerca de Madina.

La fama del Mensajero de Alá $^{(S.A.W.W)}$ ya se había extendido por todas partes. Muchas delegaciones de todas partes de Arabia vinieron a visitar al Profeta. Cuando aprendieron las enseñanzas del Profeta, quedaron impresionados y se convirtieron en seguidores del Profeta. El Profeta también envió a muchos de sus compañeros que se sabían el Corán de memoria a nuevas tierras. Fueron enviados a predicar el Islam a la gente que vivía allí.

También escribió cartas a varios reyes y gobernantes invitándolos al Islam. Najashi, el rey de Abisinia, fue uno de los primeros gobernantes que aceptó el Islam. Esto fue seguido por muchos otros reyes y gobernantes.

LA VICTORIA DE MAKKAH

Unos dos años más tarde, a finales del 629 EC, los incrédulos violaron los términos y atacaron a los seguidores del Profeta. Los hombres que lograron escapar, se refugiaron en La Meca y buscaron la ayuda del Profeta para salvar sus vidas. El Profeta recibió su mensaje y confirmó todos los informes del ataque. El Profeta entonces marchó hacia la Meca con tres mil hombres. Cuando llegó a las afueras de La Meca, sus seguidores de las tierras vecinas se le unieron y ya eran más de diez mil personas.

"Excepto para aquellos que son pacientes y hacen obras justas; aquellos tendrán el perdón y una gran recompensa." [Hud 11:11]

Antes de entrar en la ciudad, envió un mensaje a los ciudadanos de La Meca de que cualquiera que permaneciera en su casa o en la de Abu Sufyan, o en la Kaa'ba estaría a salvo. El ejército entró en La Meca sin luchar y el Profeta fue directamente a la Kaa'ba. Agradeció a Alá$^{(S.W.T)}$ por la entrada triunfal en la ciudad santa. Luego señaló a cada ídolo con un palo que tenía en la mano, y dijo,

"La verdad ha llegado y la falsedad se ha desvanecido. ¡Seguramente, la falsedad está destinada a desaparecer!"

Y uno por uno, los ídolos cayeron. El Kaa'ba fue limpiado por la eliminación de todos los trescientos sesenta ídolos y restaurado a su estado prístino.

El Profeta se paró junto a la Kaa'ba y dijo: "Oh, incrédulos, ¿qué creéis que voy a hacer con vosotros?"

"Eres un noble, hijo de un hermano noble."

El Mensajero de Alá $^{(S.A.W.W)}$ los perdonó a todos diciendo: "Te trataré como el Profeta Yusuf$^{(A.S)}$ trató a sus hermanos". No hay ningún reproche contra ti. Vayan a sus casas y serán todos libres".

El pueblo de La Meca aceptó el Islam incluyendo a los enemigos acérrimos del Profeta. Pocos de sus enemigos habían huido de la ciudad cuando el Profeta hizo su entrada. Pero, cuando recibieron la seguridad del Profeta de que no habría represalias ni compulsión en la religión, volvieron gradualmente a La Meca. En un año, 630 E.C., casi toda Arabia había aceptado el Islam.

El Profeta realizó su último peregrinaje en el año 632 E.C. Cerca de ciento treinta mil hombres y mujeres peregrinaron con él ese año.

Dos meses después, El Profeta cayó enfermo y después de varios días, falleció el lunes 12 de rabino, el undécimo año después de Hijrah en Madina.

El profeta Muhammad$^{(S.A.W.W)}$ vivió una vida muy simple, austera y modesta. Él y su familia solían pasar días sin una comida cocinada, confiando sólo en los dátiles, el pan seco y el agua. Durante el día, era el hombre más ocupado, ya que desempeñaba sus funciones en muchos papeles a la vez como Jefe de Estado, Presidente del Tribunal Supremo, Comandante en Jefe, Arbitro y muchos otros. También era el hombre más devoto por la noche. Solía pasar uno o dos tercios de cada noche en meditación y rezando a Alá$^{(S.W.T)}$ por su Ummah. La posesión del Profeta comprendía esteras, mantas, jarras y otras cosas sencillas, incluso cuando era el gobernante de toda Arabia.

El Profeta Muhammad$^{(S.A.W.W)}$ fue puesto a descansar en Madina. Se construyó una cúpula de color verde sobre la tumba del Profeta y a lo largo de él se encuentran los primeros Califas musulmanes, Abu Bakr$^{(R.A)}$ y Umer$^{(R.A)}$. La cúpula está situada en el ángulo sudoriental de Al-Masjid al-Nabawi (Mezquita del Profeta).

Don't miss out!

Visit the website below and you can sign up to receive emails whenever Editoriales De Libros Islámicos publishes a new book. There's no charge and no obligation.

https://books2read.com/r/B-A-PPGP-FSBQB

BOOKS 2 READ

Connecting independent readers to independent writers.

Milton Keynes UK
Ingram Content Group UK Ltd.
UKHW030818050124
435471UK00011BB/283